LEAVING CERTI

French Revision

Ordinary Level

Alex O'Dwyer

Gill & Macmillan

Gill & Macmillan
Hume Avenue
Park West
Dublin 12

with associated companies throughout the world

www.gillmacmillan.ie

978 07171 4682 6

Design by Liz White Designs
Artwork by Derry Dillon
Print origination by Carrigboy Typesetting Services

The paper used in this book is made from the wood pulp of managed forests. For every tree felled, at least one tree is planted, thereby renewing natural resources.

For permission to reproduce photographs, the author and publisher gratefully acknowledge the following: © Alamy: 1, 21, 23, 25, 26, 28, 30, 32, 33, 35, 43, 45, 49, 51, 55, 57, 65, 84, 93, 95, 104; © Getty Images: 19, 31, 53, 59, 88, 94, 105.

CONTENTS

Introduction

A common problem with many Leaving Certificate students is that they don't know what to expect in their exam, and hence find it very difficult to achieve good grades. This revision book tells you what type of questions to expect, so that you know what you need to revise. It shows you where the marks are going and what you should spend time on. It will also help you to build up **vocabulary** relevant to the questions you will be asked, understand the basic **grammar** needed at Ordinary Level and get lots of **practice** doing past exam questions. It provides you with the **solutions** to all exercises and exam questions so that you can check how you are doing. Study the book well and learn the vocabulary and phrases provided, and you will be rewarded with better grades.

The main body of the book is divided into **six sections. The first four of these sections deal with each of the four parts of the exam: oral, reading, writing and listening.** Each section has an introduction which explains how the marks are allocated, what your options are and how you should divide up your time. Each section also includes 'Now test yourself' exercises (where you can mark yourself out of 10) and questions from past papers.

In section 1 (Oral Exam) the **four categories** for which marks are awarded are fully explained, the 'document' option is presented and all the basic **vocabulary** and oral topics are covered.

In section 2 (Reading Comprehension) there are tips which will help prepare you for the type of passages and questions that will be on the exam paper, guidelines for the grammar questions and sample comprehensions from past papers.

In section 3 (Written Expression) you are given phrases to learn, guidelines on where the marks are going and sample questions from past exam papers.

In section 4 (Listening Comprehension) there are tips to help you tackle the paper and know what to expect on the day, and vocabulary which you should revise before the exam. Past papers are included so that you can get lots of exam practice.

In section 5 all the **grammar** that you need to know at Ordinary Level is explained. It is essential that you revise this whole section before the exam, as it is very difficult to achieve high marks in any of the other four areas without a good grasp of basic French grammar.

The final section, **section 6**, provides you with the **solutions** to the 'Now **test yourself'** exercises and the **past exam questions** in each of the previous five sections. This section is very useful for tracking how well your revision is going. Sample exam answers for the written expression section of the exam are provided and the **tapescript** for all the oral and aural exercises and past listening comprehension papers is also included.

Tick off each section as you complete it.

TRAVAILLEZ BIEN ET BONNE CHANCE !

Exam layout

Marks

The Leaving Certificate French examination is made up of the following four parts, worth a total of 400 marks.

1.   The **Oral Exam** is worth 80 marks (20% of the total marks).

2.   The **Reading Comprehension** section represents 160 marks (40% of the total marks).

3.   The **Written Expression** section represents 60 marks (15% of the total marks).

4.   The **Listening Comprehension (Aural)** is worth 100 marks (25% of the total marks).

Timings

1   **Oral Exam (*Épreuve orale)*:** the oral consists of a **12–13-minute** **general conversation** with the examiner. You may also bring a '**document'** into the exam with you. This may be a French novel, a photo, a project you have done in French, or an article in French. You can then chat about this 'document' with the examiner for about **2 minutes** of the conversation. The examiner will mark the conversation under four categories: communication 30 marks, structures (i.e. grammar) 30 marks, pronunciation 20 marks and vocabulary 20 marks. In keeping with the Higher Level paper the exam is marked out of 100 on the day and adjusted later to be out of a total of 80.

2 **Reading Comprehension (*Compréhension écrite*)**: this part of the exam consists of passages to read and answer questions on. There are generally **four comprehensions, each worth 40 marks.** You should spend **one hour and 45 minutes** on the comprehensions. This breaks down as **20 minutes each** on the first two comprehensions and **30 minutes each** on the final two comprehensions, allowing **5 minutes** for a final check. (20 + 20 + 30 + 30 + 5) Questions on the first two comprehensions are asked in English and you answer in English. The questions on the last two comprehensions are asked in French and you answer in French (apart from the final question which is asked and answered in English). In comprehensions 3 and 4, where you have to give answers in French, you are usually asked a grammar question in French (e.g. 'Trouvez un verbe à l'imparfait' – *Find a verb in the imperfect*) and you are usually asked questions such as 'Find the phrase that shows ...' (*Relevez une phrase qui montre ...*).

3 **Written Expression (*Compréhension écrite*)**: the written exam is divided into **three sections: A, B and C. You must do two of the sections.** In each section, there will be two options (you choose which one you would like to do, e.g. A (a) or A (b), B (a) or B (b), C (a) or C (b)).

Option	(a)	(b)
A	Cloze test (10 gaps)	Form to fill in
B	Message	Postcard
C	Diary entry	Formal letter

This means that you have a choice of two out of a possible six options, but remember you cannot do two from the same section. You can choose, for example, to do A (a) and B (b). Each question is worth 30 marks. You should spend **45 minutes** on the written expression: **20 minutes on each of the two written tasks** and **5 minutes for a final check.** (20 + 20 + 5)

4 **Listening Comprehension (Aural) (*Compréhension orale*)**: the aural exam takes place in **June** on the same day as the written exam. It lasts about **40 minutes.** You will hear a tape and answer questions on it in English. The tape is divided into **five sections.** The first four sections are each played three times: first right through, then in segments with pauses, and finally right through again. The final section usually consists of short radio news items and each item is played twice. The tape is the same tape as for the Honours paper but the questions are easier and many of them are often multiple choice.

1 Oral Exam

aims
- To learn all the relevant vocabulary to approach the Oral Exam with confidence.
- To brush up on grammar and tenses and practise communicating in French.
- To help you to select and prepare a 'document'.

Introduction

The **Oral Exam** lasts **15 minutes**. Within this time the examiner has to fill in all your marks and therefore your conversation with the examiner will normally last about **12 minutes**. You may also bring a '**document**' into the exam with you. This may be a French novel, a photo, a project you have done in French, or an article in French. You can then chat about this 'document' with the examiner for about **2 minutes** of the conversation. For more information on the 'document' option please see page 15.

exam focus

Percentage = 20% of total exam

Marks = 80 (marked out of 100 on the day and then adjusted later)

Time = 15 minutes

Many students do not perform as well as they should in the Oral Exam because they are nervous and are not well prepared. **Get a copy-book just for oral work** and study the topics in this book, writing all your answers to the questions in your copy. It is easy to anticipate the questions you will be asked at Ordinary Level so start early, be prepared and you will do well.

exam focus

The examiner will mark the conversation under four categories:

- Communication: 30 marks.
- Structures (i.e. grammar): 30 marks.
- Pronunciation: 20 marks.
- Vocabulary: 20 marks.

Communication (30 marks)

Communication refers to your ability to understand what is being asked, get your message across and keep the conversation flowing. Enthusiasm, eye contact and a smile all help. **The 30 marks are broken down as follows.**

- **0–11:** even with a limited range of topics communication is very weak. The candidate often doesn't understand the question, is very hesitant and would not be understood by a French speaker.

- **12–18:** adequate communication on all everyday topics. The candidate generally understands the question, can get his/her message across and would probably be understood by a French speaker.

- **19–30:** good to excellent communication on a wide range of topics. The candidate can develop a subject, his/her conversation flows and he/she would be easily understood by a French speaker. In order to score highly in this area you must show a **willingness to speak French.** This means that if you can overcome nerves and keep the conversation going, you can, despite any grammatical errors that you might make, do very well in this section.

IMPROVING YOUR MARKS IN THE ORAL EXAM

1 Greet the examiner pleasantly when you arrive in the room with 'Bonjour madame/monsieur'.

2 When asked to sign your name, do so saying something like 'Oui, bien sûr, madame/monsieur'. This will show that you are already making an effort to speak French.

3 Try to smile and look at the examiner when answering the questions. Eye contact is an important part of communication.

4 Try to avoid giving one-word answers in the exam and expand as much as possible. A good aim is to try and answer each question with at least three sentences, e.g.:
Examiner: 'Vous avez des frères et des sœurs ?'
You: 'Oui, j'ai un frère et pas de sœur. Mon frère s'appelle Jean et il a treize ans. Il a les cheveux bruns et les yeux bleus.'

5 Try to sound natural and enthusiastic in the exam. Instead of 'Oui' use 'Oui, bien sûr', 'Oui, tout à fait', 'Oui, absolument'. Instead of 'Non' use 'Non, pas du tout', 'Non, pas vraiment', 'Non, absolument pas'. Use phrases such as 'C'est chouette', 'C'est super', 'C'est formidable'.

6 Talk as much as possible during the exam but don't recite chunks you have learnt off by heart.

7 If you didn't hear a question, don't panic. Simply ask the examiner to repeat it: 'Pardon madame/monsieur, pouvez-vous répéter la question, s'il vous plaît ?' Similarly, if you don't understand a question, just ask the examiner to explain it: 'Pardon madame/monsieur, vous pouvez expliquer la question, s'il vous plaît ? Je ne comprends pas.'

Important words and expressions

Different question words

Combien de frères avez-vous ? *How many brothers do you have?*
Pourquoi aimez-vous l'Irlande ? *Why do you like Ireland?*
Qui fait la cuisine chez toi ? *Who does the cooking in your house?*
Quand est ton anniversaire ? *When is your birthday?*
Que faites-vous pour aider à la maison ? *What do you do to help at home?*
Quelle est votre matière préférée ? *Which is your favourite subject?*
Où allez-vous en vacances d'habitude ? *Where do you usually go on holidays?*

Different ways of asking questions

Vous aimez l'Irlande ? *Do you like Ireland?*
Aimez-vous l'Irlande ? *Do you like Ireland?*
Est-ce que vous aimez l'Irlande ? *Do you like Ireland?*

Short phrases for improved communication

Je pense que … /je crois que …   *I think that …*
Je déteste ça.   *I hate that.*
J'adore ça.   *I love that.*
J'aime beaucoup …   *I like … a lot.*
Je n'aime pas du tout …   *I really don't like …*
Ça m'est égal.   *I don't mind/don't care one way or the other.*
Je sais.   *I know.*
Je ne sais pas.   *I don't know.*
Ça dépend.   *It depends.*
À mon avis …   *In my opinion …*
heureusement   *fortunately*
malheureusement   *unfortunately*
Je suis désolé(e).   *I am sorry.*
Je ne comprends pas la question.   *I don't understand the question.*
Pouvez-vous répéter la question ?   *Could you repeat the question?*
Je n'ai pas entendu la question.   *I didn't hear the question.*

parce que *because*	d'habitude *usually*
mais *but*	maintenant *now*
tous les jours *every day*	souvent *often*
le week-end *at the weekend*	il y a *there is/there are*
en ce moment *at the moment*	il y avait *there was/there were*
de temps en temps *from time to time*	il y aura *there will be*
surtout *especially*	c'est *it is*
très *very*	c'était *it was*
un peu *a little*	ça sera *it will be*

Now test yourself. Translate these phrases.

1. Good morning, Sir.
2. Yes, of course.
3. No, not at all.
4. It's wonderful.
5. Could you repeat the question please?
6. I don't know.
7. In my opinion it depends.
8. I am sorry.
9. I don't understand the question.
10. It was super.

Structures (30 marks)

Structures refers to your ability to use French that is **grammatically correct.** In order to score well here you need to have a good grasp of basic grammar. The marks are awarded as follows.

- **0–11:** structures and verbs incorrect even in the present tense.

- **12–18:** agreement, negatives and basic structures generally correct. Few faults in present, 'passé composé' and future tenses.

- **19–30:** good to excellent knowledge of structures. Few faults in all tenses and in gender and agreements.

Here, the examiner will be marking you on your grammar, particularly your **ability to use verbs correctly.** Make sure you revise the present, 'passé composé', future, imperfect and conditional tenses so that you can use the correct tense when answering questions. Also revise the gender of nouns and agreement of adjectives.

> **exam focus** — Study this verb table, which gives important verbs in the 'passé composé', present and 'futur proche'.

Hier/le week-end dernier/l'été dernier	Aujourd'hui/le week-end/tous les jours	Demain/le week-end prochain/l'année prochaine
j'ai joué *(I played)*	je joue *(I play)*	je vais jouer *(I am going to play)*
j'ai travaillé *(I worked)*	je travaille *(I work)*	je vais travailler *(I am going to work)*
j'ai étudié *(I studied)*	j'étudie *(I study)*	je vais étudier *(I am going to study)*
j'ai vu *(I saw)*	je vois *(I see)*	je vais voir *(I am going to see)*
j'ai lu *(I read)*	je lis *(I read)*	je vais lire *(I am going to read)*
j'ai aidé *(I helped)*	j'aide *(I help)*	je vais aider *(I am going to help)*
j'ai fait *(I did)*	je fais *(I do)*	je vais faire *(I am going to do)*
j'ai regardé *(I watched)*	je regarde *(I watch)*	je vais regarder *(I am going to watch)*
je suis sorti(e) *(I went out)*	je sors *(I go out)*	je vais sortir *(I am going out)*
je suis allé(e) *(I went)*	je vais *(I go)*	je vais aller *(I am going to go)*
je suis parti(e) *(I left)*	je pars *(I leave)*	je vais partir *(I am going to leave)*
je suis arrivé(e) *(I arrived)*	j'arrive *(I arrive)*	je vais arriver *(I am going to arrive)*
je me suis levé(e) *(I got up)*	je me lève *(I get up)*	je vais me lever *(I am going to get up)*
je me suis couché(e) *(I went to bed)*	je me couche *(I go to bed)*	je vais me coucher *(I am going to go to bed)*

A **common error** is to answer a question by echoing the verb used in the question, i.e. by repeating the verb as the examiner used it.

Example: 'Vous allez souvent au cinéma?' 'Oui, j'allez au cinéma chaque week-end.'

The answer should, of course, be: 'Oui, je vais au cinéma chaque week-end.'

To avoid making this mistake study what form of the verb to use when answering a question:

Question	Meaning	Affirmative answer	Negative answer
Vous avez ... ?	*Do you have ...?*	Oui, j'ai ...	Non, je n'ai pas ...
Vous êtes ... ?	*Are you ...?*	Je suis ...	Je ne suis pas ...
Vous allez ... ?	*Do you go ...?*	Je vais ...	Je ne vais pas ...
Vous aimez ...?	*Do you like ...?*	J'aime ...	Je n'aime pas ...
Vous prenez ...?	*Do you take ...?*	Je prends ...	Je ne prends pas ...
Vous voulez ...?	*Do you want ...?*	Je veux ...	Je ne veux pas ...
Vous sortez ...?	*Do you go out ...?*	Je sors ...	Je ne sors pas ...
Vous jouez ...?	*Do you play ...?*	Je joue ...	Je ne joue pas ...
Vous travaillez ...?	*Do you work ...?*	Je travaille ...	Je ne travaille pas ...
Vous regardez ...?	*Do you watch ...?*	Je regarde ...	Je ne regarde pas ...
Vous étudiez ...?	*Do you study ...?*	J'étudie ...	Je n'étudie pas ...
Vous habitez ...?	*Do you live ...?*	J'habite ...	Je n'habite pas ...
Vous venez ...?	*Do you come ...?*	Je viens ...	Je ne viens pas ...
Vous pouvez ...?	*Are you able ...?*	Je peux ...	Je ne peux pas ...
Vous lisez ...?	*Do you read ...?*	Je lis ...	Je ne lis pas ...
Vous pensez ...?	*Do you think ...?*	Je pense ...	Je ne pense pas ...
Vous comprenez ...?	*Do you understand ...?*	Je comprends ...	Je ne comprends pas ...
Vous faites ...?	*Do you do/make ...?*	Je fais ...	Je ne fais pas ...
Vous vous levez ...?	*Do you get up ...?*	Je me lève ...	Je ne me lève pas ...
Vous vous couchez ...?	*Do you go to bed ...?*	Je me couche ...	Je ne me couche pas ...

When you are asked a question, are you being asked about the past, present or future?

Study the following sentences:
Qu'est-ce que vous avez fait samedi ? *What did you do last Saturday?*
Qu'est-ce que vous faites le samedi ? *What do you do on Saturdays?*
Qu'est-ce que vous allez faire samedi ? *What are you going to do on Saturday?*

Où allez-vous passer vos vacances ? *Where are you going to spend your holidays?*
Où avez-vous passé vos vacances ? *Where did you spend your holidays?*

Vous allez travailler pendant les vacances ? *Are you going to work during the holidays?*
Vous avez travaillé pendant les vacances ? *Did you work during the holidays?*

Vous êtes allé au cinéma samedi ? *Did you go to the cinema on Saturday?*
Vous allez au cinéma samedi ? *Are you going to the cinema on Saturday?*
Vous allez au cinéma le samedi ? *Do you go to the cinema on Saturdays?*

To score well, remember to thoroughly revise your grammar in section 5. You need to be able to compose relatively simple sentences using the present, 'passé composé' and future tenses. Pay particular attention to irregular verbs in the present and past participle forms.

Listen for the words 'dernier/dernière' and 'passé' = past tense.

Listen for the words 'prochain/ prochaine' = future tense.

IN THE EXAM MAKE SURE THAT YOU:

- use the correct verb, e.g. 'Vous allez ?' 'Oui, je vais.'
- use the correct gender, e.g. 'la biologie'.
- use the correct possessive adjective, e.g. 'ma sœur'.
- use the correct prepositions, e.g. 'J'habite en Irlande, à Cork.'
- use 'avoir' when talking about age, e.g. 'J'ai dix-huit ans.'
- know the difference between 'il y a' (*there is/are*) and 'c'est' (*it is*).

Now test yourself. Translate these phrases.

1. I go to the cinema.
2. I played football.
3. I study seven subjects.
4. Do you like music?
5. My sister is fourteen.
6. What did you do yesterday?
7. I am going to go to the pool.
8. Do you go out at the weekend?
9. I got up at eight o'clock.
10. Are you going to work during the holidays?

Pronunciation (20 marks)

The **marking grid** for this section is as follows.

- **0–7:** stress often in the wrong place and words mispronounced most of the time.

- **8–12:** words generally well pronounced. Intonation, stress and rhythm close to French.

- **13–20:** few if any faults in pronunciation of words. Intonation, stress and rhythm almost always correct.

Out of 100 marks in the Oral Exam, 20 are given to pronunciation. If pronunciation is incorrect you may not be understood by the examiner.

In French, many letters are pronounced in a different way from English. **Listening carefully to people speaking French** and copying what they say is the best way to learn to speak French, but here are some pointers on sounds to help you. For each French sound there is an English word which sounds like it. **Listen to the CD** to hear the pronunciation of the different words.

A consonant at the end of a French word is not usually pronounced, e.g. 'français', 'petit', 'les', 'tout'.

Track 1

a	(arriver, Paris, chat, mari) – *pronounced like the 'a' in 'cat'.*
e	(le, petit, regarder) – *pronounced like the 'a' in 'above'.*
é	(été, café, thé) – *pronounced like the 'a' in 'late'.*
ê	(même, vous êtes) – *pronounced like the 'a' in 'care'.*
i	(il, dix, police, ville) – *pronounced like the 'i' in 'machine'.*
o	(fromage, pomme) – *pronounced like the 'o' in 'holiday'.*
u	(du, une, plus, musique) – *round your lips to say 'oo', then try to say 'ee'.*
eau, au	(eau, beau, gauche, château) – *pronounced like the 'oa' in 'toast'.*
eu, œu	(fleur, beurre, sœur) – *pronounced like the 'u' in 'fur'.*
ou	(ou, tout, beaucoup) – *pronounced like the 'oo' in 'food'.*
oi	(voix, poisson, boîte) – *pronounced like the 'wa' in 'what'.*
en, an	(dans, en français, passant) – *pronounced like 'ong' without the 'g'.*
un	(un, chacun) – *pronounced like the 'u' in 'sun'. The final 'n' is not pronounced.*
in, im	(vin, prince, impossible) – *pronounced like the 'an' sound in 'rang' without the final 'g'.*
c	(merci, France, certain) – *before 'i' or 'e' this sounds like the 's' in 'sun'.*
	(café, coton, crabe) – *before other letters this sounds like the 'c' in 'cat'.*

ç	(garçon, français)	– *pronounced like the 's' in 'sun'.*
ch	(cochon, vache, chanter)	– *pronounced like the 'sh' in 'shirt'.*
g	(gendarme, girafe, âge)	– *before 'i' or 'e' it sounds like the 's' in 'measure'.*
	(grand, gare, guitare)	– *before other letters this is like the 'g' in 'get'.*
gn	(campagne, montagne)	– *pronounced like the 'ni' sound in 'onion'.*
h	(histoire, hôpital, hôtel)	– *this is not pronounced.*
qu	(question, musique)	– *pronounced like the 'k' sound in 'kettle'.*

Listen to the following phrases on the CD and then practise saying them out loud.  *Track 2*

1. Le petit cochon mange des pommes.
2. Le prince aime le théâtre.
3. Merci pour le poisson.
4. Il arrive à Paris en train.
5. La police garde le château.
6. Bonjour, Charles.
7. Le petit chat vit à la campagne.
8. Les deux girafes à gauche.
9. Tout le fromage et le café.
10. C'est une question impossible.

Stress

Stress is much **weaker in French** than in English. All it really does is **lengthen the final syllable** of the word, so it is important to speak slowly and make an effort to pronounce each syllable with equal stress.

The final consonant in French is usually not pronounced: beaucoup (bo-koo).
Some common exceptions are: parc (park), chef (shef), avec (ah-vek).
The final consonant followed by '-e' mute is also pronounced: français (fron-say), française (fron-sez).

Listen to these phrases on the CD and practise saying them.   *Track 3*

1. J'aime beaucoup le sport.
2. Je vais aller au parc.
3. Tu veux venir avec moi ?
4. Il est français.
5. Elle est française.

Verb endings

Never pronounce the '-e', '-es' or '-ent' at the end of a verb: je cache, tu caches, ils cachent. (All of these will be pronounced 'cash'.)

Remember, '-é', '-r' and '-ez' are all pronounced '-ay': allé, aller, allez. (All of these will be pronounced 'allay'.)

Listen to these phrases on the CD and practise saying them.  *Track 4*

1. Je cache les bonbons.
2. Ils cachent les bonbons.
3. Je suis allé à la piscine.
4. Je voudrais aller à la piscine.
5. Vous allez à la piscine ?

Liaison

French consonants at the end of a word are only pronounced when the following word begins with a vowel or a silent 'h'. When the two words run on like this it is called liaison:

'Il est artiste' sounds like 'ee lay tarteest'.
'Nos amis' sounds like 'no zamee'.
'Vous avez' sounds like 'voo zavay'.
'Il est' sounds like 'ee lay'.

There is no liaison in the following cases:

- with the word 'et': et une orange.
- with the word 'oui': mais oui.
- with the number 'onze': les onze livres.
- with proper nouns: Paris est une belle ville.

Listen to these phrases on the CD and practise saying them. *Track 5*

1. Nos amis arrivent demain.
2. Vous avez quel âge ?
3. Il est artiste.
4. Je voudrais une pomme et une orange.
5. Paris est une belle ville.

Nasal vowels

There are only four nasal vowels in French. This little phrase will help you to remember them as each word contains one of the four nasal vowel sounds: 'un bon vin blanc' (a good white wine).

Intonation

In a statement, the tone does not rise: Il joue au foot. ⟶

In a question, the tone rises towards the end: Tu joues au foot ? ⟋

In a question which starts with inversion, 'est-ce que' or a question word, the tone falls and then rises:

Joues-tu au foot ?   Est-ce que tu joues au foot ?   Quand joues-tu au foot ?

In exclamations, the intonation starts low and then rises: C'est super !

Listen to these phrases on the CD and practise saying them.    *Track 6*

1. Un bon vin blanc.
2. Il joue au foot.
3. Tu joues au foot ?
4. Est-ce que tu joues au foot ?
5. C'est super !

Remember to talk slowly. This will make it easier to pronounce your words correctly and it will give you more time to think about what you are going to say.

Vocabulary (20 marks)

The **marking grid** for this section is as follows.

- **0–7:** unable to communicate because of a lack of basic vocabulary.

- **8–12:** enough vocabulary to communicate at a basic to average level.

- **13–20:** good to excellent knowledge of vocabulary, enabling discussion of a wide range of topics.

Examiners often comment that students do not have the vocabulary from topics they would be expected to have covered for their Junior Certificate. Make sure you are familiar with **everyday vocabulary**, including numbers, time, weather, food and school subjects. Be able to describe your uniform, say what you ate for breakfast and discuss your school timetable. You can predict many of the topics that the examiner will ask you about, so there is no excuse for not being prepared and knowing the necessary vocabulary.

Vocabulaire thématique

Les jours de la semaine (Days of the week)

lundi *Monday*
mardi *Tuesday*
mercredi *Wednesday*
jeudi *Thursday*
vendredi *Friday*
samedi *Saturday*
dimanche *Sunday*

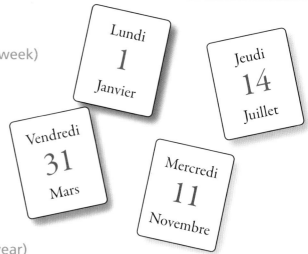

Les mois de l'année (Months of the year)

janvier *January*   juillet *July*
février *February*   août *August*
mars *March*   septembre *September*
avril *April*   octobre *October*
mai *May*   novembre *November*
juin *June*   décembre *December*

Les saisons (Seasons)

hiver *winter*
printemps *spring*
été *summer*
automne *autumn*

Les nombres (Numbers)

un *one*	douze *twelve*	trente *thirty*
deux *two*	treize *thirteen*	quarante *forty*
trois *three*	quatorze *fourteen*	cinquante *fifty*
quatre *four*	quinze *fifteen*	soixante *sixty*
cinq *five*	seize *sixteen*	soixante-dix *seventy*
six *six*	dix-sept *seventeen*	soixante-quinze *seventy-five*
sept *seven*	dix-huit *eighteen*	quatre-vingts *eighty*
huit *eight*	dix-neuf *nineteen*	quatre-vingt-dix *ninety*
neuf *nine*	vingt *twenty*	cent *hundred*
dix *ten*	vingt et un *twenty-one*	mille *thousand*
onze *eleven*	vingt-deux *twenty-two*	million *million*

L'heure (Time)

The French usually use the 24-hour clock.

Quelle heure est-il ? *What time is it?*
moins le quart *quarter to*
et quart *quarter past*
et demi(e) *half past*
midi *midday*
minuit *midnight*
le jour *day*
du matin *in the morning*
du soir *in the evening*
de l'après-midi in the afternoon
la nuit *night*
aujourd'hui *today*

demain *tomorrow*
hier *yesterday*
tout de suite *right now*
maintenant *now*
la semaine dernière *last week*
la semaine prochaine *next week*
l'année prochaine *next year*
le mois prochain *next month*
il y a quelques jours *a few days ago*
une quinzaine *a fortnight*
de temps en temps *from time to time*

Les couleurs (Colours)

blanc(he) *white*
jaune *yellow*
orange *orange*
rose *pink*
rouge *red*

bleu(e) *blue*
vert(e) *green*
violet(te) *purple*
brun(e)/marron *brown*
noir(e) *black*

gris(e) *grey*
foncé(e) *dark*
clair(e) *light*

La météo (Weather)

Il fait beau. *It is nice.*
Il fait mauvais. *It is bad weather.*
Il fait chaud. *It is hot.*
Il fait froid. *It is cold.*
Il pleut. *It is raining.*
Il gèle. *It is freezing.*
Il neige. *It is snowing.*
Il y a du soleil. *It is sunny.*
Il y a du vent. *It is windy.*
Il y a des nuages. *It is cloudy.*
Il y a du brouillard. *It is foggy.*

Le ciel est couvert. *It is overcast.*
un orage *a storm*
du verglas *black ice*
du tonnerre *thunder*
une averse *a shower*
un éclair *lightning*
ensoleillé *sunny*
pluvieux *rainy*
nuageux *cloudy*
brumeux *misty*

La nourriture (Food)

le petit déjeuner *breakfast*	la saucisse *sausage*	le fromage *cheese*
le déjeuner *lunch*	des légumes *vegetables*	les boissons *drinks*
le dîner *dinner*	des pommes de terre *potatoes*	le lait *milk*
le goûter *snack*	des champignons *mushrooms*	l'eau *water*
la cuisine *cooking*	des petits pois *peas*	le vin *wine*
du pain *bread*	des carottes *carrots*	le café *coffee*
un œuf *an egg*	une pomme *an apple*	le thé *tea*
la viande *meat*	des fraises *strawberries*	le jus d'orange *orange juice*
le bœuf *beef*	des raisins *grapes*	la bière *beer*
le jambon *ham*	une orange *an orange*	
le poulet *chicken*	la glace *ice-cream*	

Les matières (School subjects)

l'anglais *English*	la physique *Physics*
le français *French*	la chimie *Chemistry*
l'espagnol *Spanish*	la biologie *Biology*
l'irlandais *Irish*	l'éducation physique *PE*
l'allemand *German*	la musique *Music*
l'italien *Italian*	le dessin *Art*
les maths *Maths*	les arts ménagers *Home Economics*
la géographie *Geography*	le commerce *Business Studies*
l'histoire *History*	la comptabilité *Accountancy*
la science *Science*	l'informatique *ICT*

Des questions (Questions)

Où ? *Where?*	Combien ? *How many?*
Pourquoi ? *Why?*	Qu'est-ce qui vous intéresse ? *What are you interested in?*
Quand ? *When?*	Décrivez ... *Describe ...*
Qui ? *Who?*	Expliquez ... *Explain ...*

Now test yourself. Translate these phrases.

1. Thursday the 8th of July.
2. Sunday the 15th of February.
3. 76 and 88.
4. A grey jumper.
5. Today, it is cold.
6. It is cloudy.
7. Tomorrow at a quarter to seven.
8. Yesterday at half past eleven.
9. Chicken, potatoes and peas.
10. I do Physics, History and Art.

Le document

Should I bring a document?

I would strongly advise you to bring a document. First of all, examiners are very much in favour of this option and believe it should be made a compulsory part of the exam. Students who take this option

There are no separate marks for the document. What you say is marked as part of your overall performance.

generally **score higher** in their Oral Exam. Secondly, if you have **prepared** your document well, you will be able to talk about it fluently and your pronunciation will be good, thereby earning you more marks. Finally, if you take the time to **pick an interesting and original document**, discussing it with your examiner could take several minutes, time where you are talking about a topic you have chosen.

What kind of document should I choose?

The following are some options for the document:

- an article/cutting from a French newspaper or magazine
- a photo
- a project you have done in French
- a French novel or poem
- a picture
- a French advertisement, e.g. for a film.

When deciding what option to choose for your document, take a little time to think about your life. The document can reflect a current issue such as famine, pollution, homelessness, etc., but I feel that particularly at Ordinary Level it is better to choose an article that **reflects something you are particularly interested in**. Some suggestions would be: an unusual hobby you have, an interesting place you have visited, a picture you have drawn, a photo of a good friend, a school activity, e.g. a Transition Year play, work experience or a charity fundraiser. As an examiner, I find that if you decide to talk about sport or music, e.g. your favourite football team or favourite group, make sure you have an **interesting angle** on it. The same can be said for the debs' ball or your holidays last summer; what you say to the examiner doesn't have to be elaborate, but do make sure it is interesting and can be expanded on.

1. Choose a document that interests you, give yourself enough time to prepare it and this will give you confidence going into the exam.

2. There should be no English on the document.

3. You cannot bring in an object, such as your tennis racket. A simple way of getting around this is to take a photo of the object you want to talk about.

4. It is advisable to give your document to the examiner as soon as you are seated so that it won't be forgotten.

5. Make sure your document is individual; there is no point in the whole class picking the same one.

Questions générales (General questions)

Avez-vous un document ? *Do you have a document?*
Oui, j'ai un article de journal/un roman/une photo/une image, le/la voilà.
Yes, I have a newspaper article/a novel/a photo/a picture, here it is.
Pourquoi avez-vous choisi cet article/ce roman/cette photo/cette image ?
Why have you chosen this article/novel/photo/picture?
Je l'ai choisi(e) parce que ... *I chose it because ...*

Des photos et des images (Photos and pictures)

Qui est sur cette photo ? *Who is in this photo?*
Décrivez votre photo. *Describe your photo.*
Où l'avez-vous prise ? *Where did you take it?*
Qu'est-ce qui se passe dans cette image ? *What is happening in this picture?*
Qui a pris la photo ? *Who took the photo?*

Des articles (Articles)

De quoi s'agit-il, dans cet article ? *What is this article about?*
Où est-ce que vous l'avez trouvé ? *Where did you find it?*
Vous lisez régulièrement ce journal/magazine ? *Do you read this newspaper/magazine often?*
Qui a écrit cet article ? *Who wrote this article?*
Pourquoi vous intéressez-vous à ce sujet ? *Why are you interested in this subject?*

Des romans (Novels)

Qui a écrit ce roman ? *Who wrote this novel?*

L'action du roman, où est-ce qu'elle se passe ? *Where does the action of the novel take place?*

Vous aimez la lecture ? *Do you like reading?*

Lequel des personnages vous a le plus intéressé(e) ? *Which of the characters interested you the most?*

Pourquoi avez-vous aimé ce roman ? *Why did you like this book?*

De quoi s'agit-il, dans ce roman ? *What is this novel about?*

Quel est le meilleur roman que vous avez jamais lu ? *What is the best book you have ever read?*

Vocabulaire utile (Useful vocabulary)

J'ai préparé un document. *I prepared a document.*

J'ai choisi ce document parce que ... *I chose this document because ...*

Ça m'intéresse beaucoup. *It really interests me.*

à gauche *on the left*

à droite *on the right*

au premier plan *in the foreground*

à l'arrière plan *in the background*

au milieu *in the middle*

à côté de *beside*

au loin *in the distance*

une journée inoubliable *an unforgettable day*

Mon père a pris la photo. *My dad took the photo.*

Dans la photo on voit ... *In the photo you can see ...*

C'était l'été dernier. *It was last summer.*

Now test yourself. Translate these phrases.

1. I have prepared a document.
2. I chose this document because I love reading.
3. My mum took the photo last year.
4. On the left there is a small shop.
5. It was a great day.
6. Yves Navarre wrote the book.
7. The article is about camping.
8. I found the article in a French newspaper.
9. In the photo you can see my friends.
10. It really interests me.

SAMPLE DOCUMENT

This student chose a photo of her part-time job as a riding instructor. Listen to the exam questions asked and to the answers given on the CD.

 *Track 7*

Topics

This section covers the most common topics asked about in the Oral Exam. In your **oral copy** write out each of the questions asked in every topic with your own individual answers, e.g. in the 'Ma famille et moi' section you will have the following ten questions and under each one your own answer.

For each question, make sure to write at least three sentences.

1. Comment vous appellez-vous ?
2. Vous avez quel âge ?
3. Décrivez-vous.
4. Décrivez votre personnalité.
5. Quels sont vos passe-temps préférés ?
6. Avez-vous des frères et sœurs ?
7. Parlez-moi un peu de votre frère/sœur.
8. Est-ce que vous vous entendez bien avec votre frère/sœur ?
9. Décrivez vos parents.
10. Que font vos parents dans la vie ?

Ma famille et moi

- **Comment vous appellez-vous ?** *What is your name?*
  Je m'appelle … *My name is …*

- **Vous avez quel âge ?** *How old are you?*
  J'ai dix-sept/dix-huit ans. *I am seventeen/eighteen.*
  Mon anniversaire est le dix juin. *My birthday is on the tenth of June.*
  J'aurai dix-neuf ans le mois prochain. *I will be nineteen next month.*
  Je suis né le quatre mai mil neuf cent quatre-vingt-dix-huit. *I was born on the fourth of May 1998.*

- **Décrivez-vous.** *Describe yourself.*
  Je suis grand(e)/petit(e)/de taille moyenne/mince/gros (grosse). *I am tall/small/ average height/thin/fat.*
  J'ai les yeux bleus/bruns/gris/verts. *I have blue/brown/grey/green eyes.*
  J'ai les cheveux longs/courts/ bruns/blonds/bouclés/raides. *I have long/short/brown/ blond/curly/straight hair.*

- **Décrivez votre personnalité.** *Describe your personality.*
  Je suis patient(e)/bavard(e)/sociable/timide/sympathique/paresseux (paresseuse)/ sportif (sportive). *I am patient/talkative/outgoing/shy/nice/lazy/sporty.*

- **Quels sont vos passe-temps préférés ?** *What are your favourite pastimes?*
  J'adore le sport, je joue au foot tous les jours. *I love sport, I play football every day.*
  Je fais de la natation et de la voile. *I go swimming and sailing.*
  J'aime la musique, je joue de la guitare dans un groupe. *I like music, I play the guitar in a group.*
  J'adore regarder la télévision et écouter la radio. *I love to watch television and to listen to the radio.*
  Pendant mes moments de loisir j'aime lire. *During my free time I like to read.*
  J'aime sortir au cinéma avec mes amis. *I like to go out to the cinema with my friends.*

- **Avez-vous des frères et sœurs ?** *Have you got any brothers or sisters?*
  J'ai un frère et deux sœurs. Ils s'appellent … *I have one brother and two sisters. Their names are …*

J'ai trois frères et pas de sœur. Ils ont huit, dix et douze ans. *I have three brothers and no sisters. They are eight, ten and twelve years old.*

Je suis enfant unique. *I am an only child.*

- **Parlez-moi un peu de votre frère/sœur. *Tell me a little bit about your brother/sister.***
  Il/elle est plus âgé(e)/jeune que moi. *He/she is older/younger than me.*
  Il/elle est le cadet/la cadette/l'aîné(e) de la famille. *He/she is the youngest/oldest in the family.*
  Il/elle n'habite plus chez nous. *He/she no longer lives at home.*
  Il/elle est à l'école primaire/secondaire/l'université. *He/she is in primary school/ secondary school/university.*
  Il/elle est très gentil (gentille)/drôle/énervant(e). *He/she is very nice/funny/annoying.*
  Pendant ses moments de loisir il/elle aime bien … *During his/her free time he/she likes …*

- **Est-ce que vous vous entendez bien avec votre frère/sœur ? *Do you get on well with your brother/sister?***
  Oui, je m'entends bien avec lui/elle. *Yes, I get on well with him/her.*
  Non, je ne m'entends pas avec mon frère/ma sœur, nous nous disputons tout le temps. *No, I don't get on with my brother/sister, we argue all the time.*
  En général, ça va bien, mais nous nous disputons sur des petites choses, comme les vêtements, la télévision. *In general it's okay, but we argue about little things, like clothes, TV.*

- **Décrivez vos parents. *Describe your parents.***
  Ils s'appellent … et … *Their names are … and …*
  Mon père vient de Dublin et ma mère vient de Donegal. *My dad comes from Dublin and my mother comes from Donegal.*
  Il est sérieux/beau/sportif/calme/têtu. *He is serious/handsome/sporty/calm/stubborn.*
  Elle est compréhensive/belle/toujours de bonne humeur/impatiente. *She is understanding/pretty/always in a good mood/impatient.*

- **Que font vos parents dans la vie ? *What do your parents do for a living?***
  Mon père est facteur/professeur/comptable/mécanicien/gérant/chômeur. *My dad is a postman/teacher/accountant/mechanic/manager/unemployed.*
  Ma mère reste à la maison et s'occupe de nous. *My mother stays at home and looks after us.*
  Ma mère travaille dans un bureau/un magasin/une banque. *My mother works in an office/a shop/a bank.*

Ma maison/mon quartier

- **Où est-ce que vous habitez ?** *Where do you live?*

  J'habite un appartement au centre-ville/une ferme à la campagne/un pavillon au bord de la mer. *I live in an apartment in the centre of town/on a farm in the country/in a bungalow by the sea.*

  Ma maison se trouve en banlieue, à dix kilomètres de la ville. *My house is in the suburbs, ten kilometres from town.*

  J'habite dans une maison jumelée près de l'école. *I live in a semi-detached house near the school.*

- **Décrivez-moi votre maison.** *Describe your house to me.*

  C'est une maison à deux étages dans un grand lotissement. *It's a two-storey house in a housing estate.*

  J'habite un pavillon dans une rue tranquille. *I live in a bungalow in a quiet road.*

  Ma maison est grande/petite/confortable/vieille. *My house is big/small/comfortable/old.*

  Il y a un grand jardin devant et un petit jardin derrière. *There is a big garden in front and a small garden behind.*

  Chez nous, il y a neuf pièces et un garage pour la voiture. *In our house, there are nine rooms and a garage for the car.*

  Nous avons quatre chambres, une cuisine, un salon et une salle à manger. *We have four bedrooms, a kitchen, a living room and a dining room.*

- **Et votre chambre, elle est comment ?** *And what is your bedroom like?*

  J'ai ma propre chambre, elle est petite mais très confortable. *I have my own room, it's small but very comfortable.*

  Les murs sont jaunes avec des rideaux bleus et un tapis bleu. *The walls are yellow with blue curtains and a blue carpet.*

  Je dois partager ma chambre avec ma sœur ; elle est très désordonnée. *I have to share my room with my sister; she is very untidy.*

  Dans ma chambre il y a un lit, une armoire pour mes vêtements, une table, une chaise et une étagère pour mes livres et ma chaîne hi-fi. *In my room there is a bed, a wardrobe for my clothes, a table, a chair and a shelf for my books and my stereo.*

  J'adore ma chambre, j'y passe des heures. *I love my room, I spend hours in it.*

● **Est-ce que vous aimez votre quartier ?** *Do you like your area?*
Oui, bien sûr, j'aime mon quartier. *Yes, of course, I like my area.*
C'est joli/agréable/tranquille/loin du bruit. *It's pretty/pleasant/quiet/away from noise.*
Mes voisins sont toujours prêts à rendre service/contents de bavarder. *My neighbours are always ready to lend a hand/happy to chat.*
Je n'aime pas vraiment mon quartier. *I don't really like my area.*
Il y a un manque d'espaces verts/beaucoup de délinquance. *There is a lack of green areas/lots of delinquency.*
Le quartier est surpeuplé. *The area is overpopulated.*
Les gens ne sont pas très accueillants/sympas/tolérants. *The people are not very welcoming/nice/tolerant.*

● **Qu'est-ce qu'il y a à faire dans votre quartier ?** *What is there to do in your area?*
Dans mon quartier il y a un manque de distractions/beaucoup de possibilités de loisirs. *In my area there is a lack of activities/lots of leisure possibilities.*
Nous avons un club de jeunes/des bistros/une discothèque. *We have a youth club/bars/a disco.*
Il y a une bibliothèque/des églises/un parc/un centre commercial. *There is a library/are churches/a park/a shopping centre.*
Les jeunes peuvent jouer au foot/faire des courses/aller au cinéma. *The young can play football/go shopping/go to the cinema.*
Les jeunes s'ennuient, il n'y a rien à faire, on est loin des magasins. *The young people get bored, there is nothing to do, we are far from the shops.*

● **À votre avis quels sont les inconvénients/avantages de votre quartier ?** *In your opinion what are the disadvantages and advantages of your area?*
La circulation m'énerve, surtout les embouteillages aux heures de pointe. *The traffic annoys me, especially the traffic jams at rush hour.*
Parmi les problèmes il y a la délinquance, le vandalisme et les graffitis. *Among the problems are delinquency, vandalism and graffiti.*
La pollution, la fumée, et les gaz d'échappement des voitures sont un gros inconvénient d'habiter en ville. *The pollution, the smoke and the fumes from cars are a big disadvantage of living in town.*
Nous avons un grand choix de distractions et un grand nombre de magasins. *We have a large choice of activities and a large number of shops.*
J'aime le calme, la beauté et la tranquillité de la campagne. *I like the calm, the beauty and the peacefulness of the countryside.*
J'aime habiter loin du bruit de la ville mais parfois je me sens un peu isolé(e). *I like to live away from the noise of the town but sometimes I feel a little isolated.*

Mon école

- Décrivez votre école. *Describe your school.*
  C'est une école mixte/une école de garçons/une école privée. *It's a mixed/boys'/private school.*
  Mon école est située au centre-ville/en banlieue. *My school is situated in the centre of town/in the suburbs.*
  Il y a cinq cents élèves et une trentaine de profs. *There are five hundred students and around thirty teachers.*

- Quelles matières faites-vous à l'école ? *What subjects are you doing in school?*
  Je fais des maths, de l'anglais, de l'irlandais, du français, de l'histoire, de la biologie et de la comptabilité. *I am doing Maths, English, Irish, French, History, Biology and Accounting.*
  J'étudie sept matières, trois matières obligatoires et quatre matières facultatives. *I am studying seven subjects, three compulsory subjects and four optional subjects.*

- Quelle est votre matière préférée ? *Which is your favourite subject?*
  Ma matière préférée est le dessin/la musique/les arts ménagers parce que c'est intéressant. *My favourite subject is Art/Music/Home Economics because it's interesting.*
  J'adore la chimie/l'éducation physique/l'espagnol. C'est facile. *I love Chemistry/PE/Spanish. It's easy.*

- Quelle matière est-ce que vous n'aimez pas ? *What subject don't you like?*
  Ce que je déteste le plus c'est l'allemand/les études de construction/la physique, c'est très difficile. *I really hate German/Construction Studies/Physics, it's very difficult.*
  Le prof est trop sévère et il nous donne trop de devoirs. *The teacher is too strict and he gives us too much homework.*
  Est-ce que vous aimez le français ? Do you like French?
  Oui, j'aime bien le français, mais je ne suis pas très doué(e) pour les langues. *Yes, I like French, but I am not very good at languages.*
  Non, je trouve ça ennuyeux. *No, I find it boring.*
  Je suis fort(e)/faible/moyen (moyenne) en français. *I am good/weak/average at French.*
  J'étudie le français depuis six ans. *I have been studying French for six years.*

- Quels sont les équipements sportifs et scolaires dans votre école ? *What are the facilities like in your school?*
  Dans notre école il y a une cantine, des laboratoires, une salle de concert et une bibliothèque. *In our school there is a canteen, laboratories, a concert hall and a library.*
  Les équipements sportifs sont excellents, nous avons des terrains de sport, un gymnase et des courts de tennis. *The sports facilities are excellent, we have sports pitches, a gym and tennis courts.*

- **Comment allez-vous à l'école ?** *How do you get to school?*
  Je vais à l'école en voiture avec mes voisins/à vélo/à pied/en autobus. *I go to school by car with my neighbours/by bike/on foot/by bus.*

- **Les cours commencent à quelle heure ?** *At what time do classes start?*
  Les cours commencent à neuf heures et finissent à trois heures et demie. J'ai huit cours chaque jour. *Classes start at nine o'clock and finish at half past three. I have eight classes every day.*

- **Est-ce qu'il y a beaucoup de règlements dans votre école ?** *Are there a lot of rules in your school?*
  On est obligé de porter un uniforme/d'être à l'heure pour les cours. *We have to wear a uniform/be on time for classes.*
  Il est interdit de fumer/de manger en classe/de manquer les cours. *It is forbidden to smoke/eat in class/miss class.*
  Il y a colle après les cours. *There is detention after school.*
  Notre directeur est très strict. *Our principal is very strict.*

- **Comment sont les profs ?** *What are the teachers like?*
  Les profs sont trop stricts et se fâchent facilement. *The teachers are too strict and get angry easily.*
  La plupart des profs sont sympas et nous aident beaucoup. *Most of the teachers are nice and help us a lot.*
  Ils travaillent très dur et nous encouragent beaucoup. *They work very hard and encourage us a lot.*
  Il y a de bons rapports entre les profs et les élèves. *There is a good relationship between the teachers and the students.*

- **Décrivez votre uniforme.** *Describe your uniform.*
  Je porte un pantalon gris, une chemise blanche, un pull noir et une cravate noire et grise. *I am wearing grey trousers, a white shirt, a black jumper, and a black and grey tie.*
  J'aime bien mon uniforme, il est très pratique. *I like my uniform, it's very practical.*
  Je déteste mon uniforme, il n'est pas très confortable et il est démodé. *I hate my uniform, it is not very comfortable and it's old-fashioned.*

- **Vous aimez votre école ?** *Do you like your school?*
  Non, je n'aime pas tellement mon école. *No, I don't really like my school.*
  Nous avons une journée trop longue et un emploi du temps surchargé. *Our day is too long and our timetable is packed.*
  Il y a la pression des examens/trop de devoirs/beaucoup de règlements. *There is exam pressure/too much homework/lots of rules.*
  Mon école, elle me plaît, j'ai de très bons amis ici. *I like my school, I have very good friends here.*

Mes passe-temps (musique, TV, ciné)

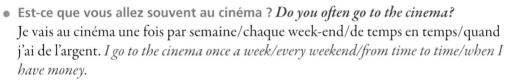

- **Est-ce que vous aimez la musique ?** *Do you like music?*

  Je passe tous mes moments de loisirs à écouter de la musique, je ne peux pas vivre sans. *I spend all my free time listening to music, I couldn't live without it.*

  J'aime écouter de la musique tous les matins pour me réveiller/chaque soir avant de me coucher. *I like to listen to music every morning to wake me up/every evening before going to bed.*

  J'adore collectionner des cassettes et des disques. *I love collecting tapes and CDs.*

  Je préfère la musique pop/classique/traditionnelle. *I prefer pop/classical/traditional music.*

  Je ne peux pas supporter le punk. *I can't bear punk.*

  Je joue du piano/du violon/de la guitare. *I play the piano/the violin/the guitar.*

  Je joue bien/mal. *I play well/badly.*

  Je prends des cours tous les mercredis. *I take lessons every Wednesday.*

- **Est-ce que vous allez souvent au cinéma ?** *Do you often go to the cinema?*

  Je vais au cinéma une fois par semaine/chaque week-end/de temps en temps/quand j'ai de l'argent. *I go to the cinema once a week/every weekend/from time to time/when I have money.*

  J'aime aller au cinéma avec mes copains/mon frère/mon petit ami. *I like to go to the cinema with my friends/my brother/my boyfriend.*

  Quand je veux me détendre je sors au cinéma. *When I want to relax I go to the cinema.*

  Je préfère les films d'amour/de guerre/d'épouvante. *I prefer romance/war/horror films.*

- **Est-ce que vous regardez souvent la télévision ?** *Do you often watch TV?*

  Je regarde la télé tous les soirs/deux heures par jour/seulement le week-end. *I watch TV every evening/two hours a day/only at the weekend.*

  Je regarde très rarement la télé, je n'ai pas le temps. *I watch television very rarely, I don't have time.*

  J'aime surtout les feuilletons/les dessins animés. *I especially like soaps/cartoons.*

  Je préfère les documentaires/les actualités. *I prefer documentaries/news.*

  Je trouve les programmes sur les animaux/les émissions de sport très intéressant(e)s. *I find programmes about animals/sports very interesting.*

- **Est-ce que vous aimez la lecture ?** *Do you like reading?*

  Je lis constamment/de temps en temps/quand je suis en vacances. *I read all the time/from time to time/when I am on holidays.*

  Je lis au lit avant de m'endormir. *I read in bed before going to sleep.*

Je ne lis jamais, je préfère la musique. *I never read, I prefer music.*

J'aime les romans d'amour/les romans policiers/les romans d'aventure/les bandes dessinées/la science-fiction. *I like romance/detective/adventure novels/comic strips/science fiction.*

J'adore les articles sur le sport/la politique/la mode/des célébrités. *I love articles about sport/politics/fashion/celebrities.*

● **Quel est le meilleur film/livre que vous avez jamais vu/lu ?** *What is the best film/ book that you have ever seen/read?*

Le film/livre s'appelle ... *The film/book is called ...*

Il s'agit de ... *It is about ...*

L'action du film se passe ... *The film is set in ...*

L'histoire est triste/intéressante/drôle. *The story is sad/interesting/funny.*

C'est un film américain/anglais/irlandais. *It's an American/English/Irish film.*

Il a été écrit/réalisé par ... *It was written/directed by ...*

Le sport

- **Est-ce que vous vous intéressez au sport ?** *Are you interested in sport?*

  Oui, je suis très sportif/sportive. *Yes, I am very sporty.*

  Non, pas vraiment, je suis un peu paresseux/paresseuse. *No, not really, I am a bit lazy.*

  Je fais du sport deux fois par semaine/chaque week-end. *I do sport twice a week/every weekend.*

  Je m'entraîne tous les jeudis. *I train every Thursday.*

- **Quels sports pratiquez-vous ?** *What sports do you do?*

  J'aime faire du cyclisme/ski/jogging. *I like to do cycling/skiing/jogging.*

  J'aime faire de la natation/de l'équitation. *I like to do swimming/horse-riding.*

  J'aime jouer au football/tennis/hockey. *I like to play football/tennis/hockey.*

  Quand il fait beau je fais une promenade. *When the weather is nice I go for a walk.*

  Je n'aime pas tellement le sport, je préfère la musique. *I don't really like sport, I prefer music.*

- **Faites-vous du sport à l'école ?** *Do you do sport in school?*

  Nous avons un cours d'éducation physique chaque semaine. *We have one PE class every week.*

  Je fais partie de l'équipe de l'école. *I am on the school team.*

  Nous avons un gymnase. *We have a gym.*

  Il y a deux courts de tennis. *There are two tennis courts.*

  Nous nous entraînons sur le terrain de sport. *We train on the sports field.*

- **Quel est votre sport préféré et pourquoi ?** *Which is your favourite sport and why?*

  Mon sport préféré c'est le/la ... *My favourite sport is ...*

  J'aime surtout le/la ... *I especially like ...*

  C'est un sport d'équipe/un sport individuel. *It's a team sport/an individual sport.*

  C'est thérapeutique/passionnant. *It's therapeutic/exciting.*

  Je fais du ski/joue au tennis depuis l'âge de dix ans. *I have been skiing/playing tennis since the age of ten.*

- **Quels sont les avantages et les inconvénients du sport pour quelqu'un de votre âge ?** *What are the advantages and disadvantages of sport for someone of your age?*

  On garde la ligne. On apprend la maîtrise de soi. *You keep your figure. You learn self-control.*

  C'est bon pour la santé/pour le cœur et les poumons. *It's good for your health/for your heart and your lungs.*

  C'est un moyen de se tenir en forme/de se défouler. *It's a good way of keeping fit/of letting go.*

  C'est une grande industrie. *It's a big industry.*

  Il faut savoir gagner et perdre. *You have to know how to win and lose.*

  Il y a trop de concurrence/pression sur les jeunes. *There is too much competition/pressure on young people.*

Une journée typique

- **Décrivez une journée typique pour vous.** *Describe a typical day for you.*

  En général, je me lève à sept heures et demie. *Normally, I get up at half past seven.*

  Ensuite je me lave et je m'habille. *Then I wash and dress myself.*

  Je quitte la maison pour aller à l'école vers huit heures et demie. *I leave the house to go to school at around half past eight.*

  Ma mère m'emmène en voiture. *My mother drives me.*

  Les cours commencent à neuf heures et finissent à trois heures et demie. *The classes start at nine and finish at half past three.*

  Nous avons une petite récré à onze heures et à midi et demi nous déjeunons à la cantine. *We have a small break at eleven and at half past twelve we have lunch in the canteen.*

  Je rentre à la maison vers quatre heures. *I return home at around four o'clock.*

- **Après les cours qu'est-ce que vous faites ?** *What do you do after school?*

  Quand j'arrive à la maison j'ai toujours faim, alors je mange quelques biscuits. *When I arrive home I am always hungry so I eat a few biscuits.*

  J'ai entraînement avec mon équipe de basket. *I have training with my basketball team.*

  Je fais trois heures d'étude surveillée à l'école. *I have three hours of supervised study in school.*

  J'ai toujours beaucoup de devoirs à faire. *I always have lots of homework to do.*

  Je passe au moins trois heures à faire mes devoirs. *I spend at least three hours doing my homework.*

  Nous mangeons vers six heures. *We eat at around six o'clock.*

- Qu'est-ce que vous mangez normalement chez vous ? *What would you normally eat at home?*

  En général, nous mangeons de la viande/des légumes/des pommes de terre/des pâtes. *Normally, we eat meat/vegetables/potatoes/pasta.*

  Pour le petit déjeuner, je prends du pain/des céréales. *For breakfast I have bread/cereal.*

  À la cantine je préfère manger un repas chaud/un sandwich. *In the canteen I prefer to eat a hot meal/a sandwich.*

  Le soir je mange un grand repas, une entrée, un plat principal et pour finir un dessert, par exemple un fruit ou du fromage. *In the evening I eat a large meal, a starter, a main course and to finish a dessert, for example fruit or some cheese.*

  Mon repas préféré c'est du poulet avec des frites et de la salade. *My favourite meal is chicken with chips and salad.*

  Je suis végétarien/végétarienne, j'aime manger beaucoup de légumes. *I am a vegetarian, I like to eat lots of vegetables.*

- À quelle heure est-ce que vous vous couchez ? *At what time do you go to bed?*

  Normalement je me couche vers onze heures. *Normally, I go to bed around eleven.*

  Je lis pendant une heure avant de m'endormir. *I read for an hour before going to sleep.*

  J'aime écouter la radio pour me détendre. *I like to listen to the radio to relax.*

  Je suis toujours épuisé(e) le soir. *I am always exhausted in the evening.*

Mes amis

- **Décrivez votre meilleur(e) ami(e).** *Describe your best friend.*
  Mon/ma meilleur(e) ami(e) s'appelle … *My best friend is called …*
  Je le/la connais depuis dix ans. *I have known him/her for ten years.*
  Mon petit ami/ma petite amie s'appelle … *My boyfriend/girlfriend is called …*
  Il/elle a dix-huit ans comme moi. *He/she is eighteen like me.*
  Nous sommes dans la même classe à l'école. *We are in the same class in school.*
  Nous sortons ensemble depuis huit mois. *We have been going out for eight months.*
  Je l'ai rencontré(e) à une boum. *I met him/her at a party.*
  Il/elle a les cheveux bruns et les yeux bleus. *He/she has brown hair and blue eyes.*
  Il est très grand et mince. *He is very tall and thin.*
  Elle est petite et très jolie. *She is small and very pretty.*

- **Comment est sa personnalité ?** *What's his/her personality like?*
  Il est bavard et sociable. *He is talkative and outgoing.*
  Elle est compréhensive et un peu timide. *She is understanding and a little shy.*
  Il est toujours de bonne humeur. *He is always in a good mood.*
  Elle est gentille et intelligente. *She is kind and intelligent.*
  Nous nous entendons très bien ensemble. *We get on very well together.*

- **Quels sont ses passe-temps ?** *What are his/her pastimes?*
  Il/elle adore faire du sport. *He/she loves sport.*
  Il/elle aime bien la lecture. *He/she loves reading.*
  Il/elle est très doué(e) pour la musique. *He/she is very talented at music.*
  Il/elle aime sortir avec moi le week-end. *He/she likes to go out with me at the weekend.*

Le petit boulot et l'argent de poche

- Qu'est-ce que vous faites pour gagner de l'argent de poche ? *What do you do to earn your pocket money?*

Je fais le ménage/la cuisine/le jardinage/la vaisselle. *I do the housework/cooking/ gardening/dishes.*

Je garde les enfants de nos voisins. *I mind our neighbours' children.*

Le jeudi matin, je sors les poubelles. *On Thursday mornings, I put the bins out.*

Je lave la voiture de mes parents tous les week-ends. *I wash my parents' car every weekend.*

Je dois ranger ma chambre. *I have to tidy my bedroom.*

- Est-ce que vous avez d'autres sources de revenus à part votre argent de poche ? *Do you have any other sources of income apart from your pocket money?*

J'ai un petit emploi le week-end/le soir/pendant les grandes vacances. *I have a part-time job at the weekend/in the evening/during the summer holidays.*

Je travaille à mi-temps/quatre heures par jour. *I work part-time/four hours a day.*

Je fais des petits travaux/du baby-sitting pour les voisins. *I do small jobs/babysitting for neighbours.*

J'ai un petit boulot dans un magasin/dans un café/dans un restaurant. *I have a small job in a shop/a café/a restaurant.*

Je sers les clients. *I serve the customers.*

Je gagne dix euros par heure. *I earn ten euros per hour.*

Je n'ai pas de petit boulot en ce moment. *I don't have a part-time job at the moment.*

Je me consacre à mes études. *I am concentrating on my studies.*

- Comment est-ce que vous dépensez votre argent de poche ? *How do you spend your pocket money?*

Je sors le week-end, je vais au cinéma/au café. *I go out at the weekend, I go to the cinema/to a café.*

J'achète des disques/des vêtements/des magazines. *I buy CDs/clothes/magazines.*

En ce moment je fais des économies. *At the moment I am saving.*

Je dépose de l'argent dans mon compte bancaire. *I put money into my bank account.*

Je n'ai jamais assez d'argent pour tous mes besoins. *I never have enough money for all my needs.*

Je suis toujours fauché(e). *I am always broke.*

Le week-end

- Qu'est-ce que vous faites le week-end ? *What do you do at the weekend?*

  Le week-end, j'aime sortir avec mes amis. *At the weekend I like to go out with my friends.*

  Vendredi soir je me repose, je suis toujours très fatigué(e) après une semaine à l'école. *On Friday evening I relax, I am always tired after a week in school.*

  Le samedi, nous allons en ville, faire des courses. *On Saturday we go into town, to shop.*

  Nous jouons au foot dans le parc. *We play football in the park.*

  J'aime écouter de la musique ou jouer de ma guitare. *I like to listen to music or to play my guitar.*

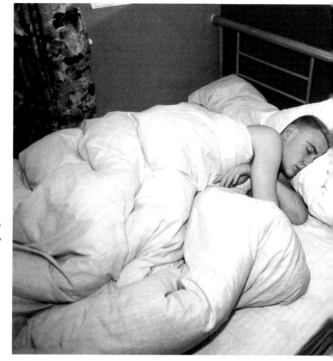

  J'ai un petit boulot le samedi. *I have a part-time job on Saturdays.*

  Le samedi soir, je sors avec mon petit ami/ma petite amie. *On Saturday evenings I go out with my boyfriend/my girlfriend.*

- Où est-ce que vous sortez normalement ? *Where do you normally go out?*

  Parfois je vais au cinéma ou chez un/une ami(e) pour regarder une vidéo. *Sometimes I go to the cinema or to a friend's house to watch a video.*

  Parfois il y a une soirée chez un ami. *Sometimes there is a party in a friend's house.*

  On danse et on bavarde avec les garçons/les filles. *We dance and chat with the boys/girls.*

- Que faites-vous le dimanche ? *What do you do on Sundays?*

  Le dimanche matin je fais la grasse matinée. *On Sunday morning I have a lie-in.*

  Je vais à la messe avec ma famille. *I go to mass with my family.*

  Nous mangeons un grand repas en famille. *We have a big meal together.*

  Le dimanche après-midi je fais mes devoirs. *On Sunday afternoon I do my homework.*

  Parfois je fais une longue promenade avec ma mère ou mon père. *Sometimes I go for a long walk with my mother or father.*

  Je regarde un film à la télé. *I watch a film on television.*

Les vacances

- Qu'est-ce que vous avez fait l'été dernier pour les grandes vacances ? *What did you do last summer for the summer holidays?*
  Je suis allé(e) à l'étranger/resté(e) chez moi. *I went abroad/stayed at home.*
  J'ai fait un stage d'été/travaillé/rendu visite à mes grands-parents/passé quelques jours chez mon ami. *I did a summer course/worked/visited my grandparents/spent a few days at my friend's house.*
  Je me suis amusé(e) avec des amis. *I had a great time with my friends.*

- Comment est-ce que vous vous êtes amusé(e)(s) ? *How did you enjoy yourself?*
  Nous avons loué des vélos et fait un tour de la région. *We rented bikes and cycled around the area.*
  Je suis allé(e) à la plage et j'ai nagé et fait de la voile. *I went to the beach and I swam and sailed.*
  Nous sommes sorti(e)s tous les soirs au restaurant/en boîte. *We went out every evening to a restaurant/to a club.*
  Je me suis fait beaucoup d'amis. *I made lots of friends.*
  Nous avons visité beaucoup de musées. *We visited lots of museums.*

- Cet été, qu'est-ce que vous voudriez faire ? *This summer what would you like to do?*
  Je voudrais partir avec des amis/rester dans des auberges de jeunesse. *I would like to head off with my friends/stay in youth hostels.*
  Je ne sais pas encore. *I don't know yet.*
  Ça dépend de mes parents/de l'argent dont je dispose. *It depends on my parents/on how much money I have.*
  J'aimerais faire un échange/un stage de langues/de sport. *I would like to do an exchange/a language course/a sports course.*

- Est-ce que vous êtes déjà parti(e) à l'étranger ? Si oui, décrivez le pays. *Have you already been abroad? If yes, describe the country.*
  Non, je ne suis jamais allé(e) à l'étranger. *No, I have never gone abroad.*
  J'ai fait un échange, la famille était accueillante mais je n'ai pas aimé la nourriture et j'avais le mal du pays. *I did an exchange, the family were welcoming but I didn't like the food and I was homesick.*
  Oui, il y a deux ans je suis allé(e) en Angleterre/France/Espagne/aux États-Unis. *Yes, two years ago I went to England/France/Spain/the United States.*
  Il y a beaucoup à faire et à voir. *There is lots to do and to see.*
  C'est une région touristique/historique/agricole/pittoresque/montagneuse. *It's a tourist/historical/agricultural/picturesque/mountainous region.*
  Il y a beaucoup de soleil/de pluie/de vent. *There is a lot of sun/rain/wind.*

- Les vacances idéales, qu'est-ce que c'est pour vous ? *What is your ideal holiday?*
  des vacances au bord de la mer *holidays by the sea*
  des vacances pleines d'activités sportives *holidays full of sporting activities*
  des vacances dans un pays tropical *holidays in a tropical country*
  manger et dormir/danser toute la nuit/rencontrer de nouveaux amis *eating and sleeping/dancing all night/meeting new friends*
  se faire bronzer, allongé(e) sur une plage *getting tanned, stretched out on a beach.*

L'année prochaine

- **Qu'est-ce que vous voulez faire l'année prochaine ?** *What do you want to do next year?*

  Je voudrais être … *I would like to be …*

  J'espère devenir … *I hope to become …*

  L'année prochaine je voudrais aller à l'université. *Next year I would like to go to university.*

  Je voudrais faire des études de science. *I would like to study Science.*

  Ça dépend de mes résultats au bac. *It depends on my results in the Leaving Cert.*

  Je vais chercher un travail. *I am going to look for a job.*

  Je voudrais faire un diplôme en informatique. *I would like to do a diploma in Computer Studies.*

  J'aimerais voyager pendant un an. *I would like to travel for a year.*

  Je ne sais pas exactement. *I don't know exactly.*

  C'est une question difficile. *It's a difficult question.*

  Il faut avoir beaucoup de points/continuer des études/passer un entretien. *You have to have a lot of points/continue your studies/do an interview.*

  Je vais faire un stage/un apprentissage. *I am going to do a course/an apprenticeship.*

- **Pourquoi est-ce que vous voudriez faire ça ?** *Why do you want to do that?*

  J'adore la vie en plein air. *I love the outdoor life.*

  Le conseiller d'orientation professionnelle m'a conseillé d'étudier … *The careers guidance teacher advised me to study …*

Je n'aime pas vraiment l'école et je ne veux pas continuer mes études. *I don't really like school and I don't want to continue my studies.*

Le travail d'ingénieur m'intéresse beaucoup. *The work of an engineer really interests me.*

J'adore les enfants. *I love children.*

Le dessin est ma matière préférée à l'école. *Art is my favourite subject at school.*

Je suis fort en maths et je m'intéresse à la science. *I am good at Maths and I am interested in Science.*

J'aime ce genre de travail. *I like this type of work.*

C'est un travail satisfaisant. *It is very satisfying work.*

Ce métier est bien rémunéré. *This job is well paid.*

On a quatre semaines de congés payés. *You get four weeks' paid leave.*

J'ai les capacités qu'il faut. *I have what it takes.*

- **Décrivez un peu le travail.** ***Describe the work.***

On travaille dans un bureau/un chantier/une école/un magasin. *You work in an office/on a building site/in a school/in a shop.*

On travaille avec des chiffres/des enfants/des animaux. *You work with numbers/children/animals.*

On doit servir/nettoyer/ranger/vendre/s'occuper de … *You have to serve/clean/tidy up/sell/look after …*

On s'occupe des animaux malades. *You look after sick animals.*

Les journées de travail sont très longues mais c'est bien payé. *The working days are very long but it is well paid.*

On voyage partout dans le monde. *You travel all over the world.*

Il faut avoir beaucoup de patience. *You need to have a lot of patience.*

- **Qu'est-ce qu'il faut faire pour devenir … ?** ***What do you have to do to become a …?***

Il faut passer quatre ans à l'université. *You have to spend four years in university.*

L'année dernière il fallait obtenir quatre cents points. *Last year you needed to get four hundred points.*

Il y a un entretien et on doit préparer un portfolio. *There is an interview and you have to prepare a portfolio.*

Il faut travailler dur. *You have to work hard.*

2 Reading Comprehension

aims
- To understand what you are being asked to do for the Reading Comprehension section of the exam.
- To show you how to answer in the required way.
- To give you practice in dealing with a variety of texts in French.

Introduction

The **Reading Comprehension** section of the exam is worth the **most marks** in your exam (40 per cent of the total). Lots of practice is needed if you are to score well in this section.

There are normally **four comprehensions**. You answer all the questions on the first two comprehensions in English and you answer all of the questions, except the last one, on the last two comprehensions, in French.

Spend 20 minutes each on comprehensions 1 and 2, and 30 minutes each on comprehensions 3 and 4. Each comprehension is worth 40 marks and usually has 10 questions/parts to it, each being given 4 marks. (**10 x 4**)

The key to doing well is to be familiar with the type of texts that may appear and the type of questions you will be asked. You can be asked a **wide range of comprehension questions**, including multiple choice and quoting from the passage. You can also be asked to identify elements of grammar, to summarise the passage on a grid or to match titles to different paragraphs of the comprehension.

exam focus

Percentage = 40%
Marks = 160 (4 × 40)
Time = 1 hour 45 (20 + 20 + 30 + 30 + 5 minute check)

1 Read the questions carefully before you start. If you read the questions first, they will give you an idea of what the passage is about so that you know what you need to concentrate on. Highlight the questions words. The questions will also give you information about the text before you read it. Next, read question 1 again and then paragraph 1, then question 2 and paragraph 2 and so on. In the comprehension, the paragraphs are numbered and the questions usually follow the sequence of the text, so if you break down the passage in this way it means that you are reading much smaller chunks, which is easier than reading the whole passage at once. Finally, read the whole comprehension once more to get an overview which will help you in particular with the final question in comprehensions 3 and 4 (the personal opinion question which is answered in English).

2 Know what you are being asked to do:
Trouvez dans la première section ... *Find in the first section ...*
Relevez dans la deuxième section ... *Take out (find) in the second section ...*
Citez dans la troisième section ... *Quote in the third section ...*
Selon/d'après la quatrième section ... *According to the fourth section ...*
Remplissez la grille suivante ... *Fill in the following grid ...*
Trouvez l'adjectif qui décrit/qualifie ... *Find the adjective that describes ...*
Nommez ... *Name ...*

3 Know how much is needed for your answer:
un mot – *a word*
une expression – *a phrase* (part of a sentence, usually broken by punctuation, e.g. 'Hier soir, je suis allé à la piscine municipale, et j'ai beaucoup nagé.')
une phrase – *a sentence*
un détail – *a detail* (usually a few words)
un exemple de – *one example of*
qui montre que – *which shows that*
qui indique que – *which indicates that*
qui révèle que – *which reveals that*

4 Don't write more than you are asked for, only what is relevant. Including extra material or irrelevant material will lose you marks. If you are asked to 'citez', 'trouvez' or 'relevez' you only need to transcribe the necessary words, phrase or example from the text. If you cannot fit your answer in, it probably means that you are supplying unnecessary material which you will be penalised for.

5   Be familiar with the following question words:
quand *(when)*
comment *(how)*
où *(where)*
pourquoi *(why)*
combien de *(how many)*
qui *(who)*
qu'est-ce que *(what)*
Question words will help you to understand what the passage is about.

6   Be aware of when you need to change the text for your answer. In a comprehension, for example, Marie the narrator says: 'J'étais contente.' In this case if you are asked, 'Comment se sentait Marie ?' *'How did Marie feel?'* remember to change the verb to say **she** felt happy: 'Elle était contente.' You will have to change the person from **'je'** to **'elle'** and the verb from **'étais'** to **'était'**.

7   Answer the question in the language required. If the question is asked in English, answer in English. If the question is asked in French, answer in French.

8   Check the instructions, which state in which section of the text the answer is to be found. You must be careful to provide an answer only from the relevant section.

9   Before completing the exam, make sure you re-read your answers together with the questions on the paper. This will help ensure that you answer only what is being asked.

10   Know your French grammar terms. There is very often a grammar question in comprehensions 3 or 4. You are typically asked to find a verb in the present ('Trouvez un verbe au présent de l'indicatif') or find a feminine adjective ('Trouvez un adjectif féminin'). To score well, you need to be familiar with French grammar terms. It is essential that you revise the grammar in section 5 of this book if you want to score well in your comprehensions. However, there now follows a quick guide to recognising different elements of grammar that you may be asked to find in the Reading Comprehension part of the exam.

Grammar guidelines

Adjectif

An adjective describes a noun. Therefore, you are looking for **describing words** like colours, 'big', 'small', etc. In the sentence 'She has a big dog' (*Elle a un grand chien*), the word 'big' (*grand*) is an adjective

> **REMEMBER**
>
> All elements of grammar are covered in detail in section 5. If you don't understand any area of grammar here, revise it in section 5 and do the 'Now test yourself' exercises.

because it describes the dog. When asked for adjectives of a specific gender, remember that feminine adjectives in French often end in '-e'. Plural adjectives often end in '-s'.

Adjectif possessif

This is a possessive adjective. The following table lists the words to look out for.

Meaning	Masculine Singular	Feminine Singular	Plural
my	mon	ma	mes
your	ton	ta	tes
his/her	son	sa	ses
our	notre	notre	nos
your (plural)	votre	votre	vos
their	leur	leur	leurs

Adverbe

An adverb **describes a verb**. Most adverbs in French end in '**-ment**' (e.g. 'lentement'), just as most adverbs in English end in '-ly' (e.g. 'slowly'). Take care with irregular adverbs, e.g. 'bien, mal, vite', that don't end in '-ment', and with words that end in '-ment' but are not adverbs, e.g. 'un sentiment'.

Affirmatif

This is the **opposite of negative**. A sentence is affirmative when it makes a positive statement, e.g. 'elle a un chien' (*she has a dog*), 'il joue au tennis' (*he plays tennis*).

Conditionnel

This is the **conditional** tense. It translates as 'would', e.g. 'I would go'. Look for verbs that end in '**-rais, -rais, -rait, -rions, -riez, -raient**'.

Conjonction

A **conjunction** joins words or phrases together, e.g. 'et' (*and*), 'mais' (*but*), 'ou' (*or*).

Futur simple

This is the **future** tense. It translates as 'will', e.g. 'I will go'. Look for verbs that end in '-ai, -as, -a, -ons, -ez, -ont'. The letter '-r-' will always come before these endings.

Futur proche

Do not confuse this with the 'futur simple'. The 'futur proche' uses the present tense of 'aller' and translates as 'going to', e.g. 'I am going to go'. Look for the **present tense of 'aller' and an infinitive**, e.g. 'je vais manger' (*I am going to eat*).

Imparfait

This is the **imperfect** tense. It describes things in the past or tells us what someone used to do. Look for verbs that end in '-ais, -ais, -ait, -ions, -iez, -aient'. Be careful not to confuse these verbs with the conditional verbs which have the same endings but have an '-r-' in front of the endings, e.g. 'je mangeais' = imperfect, 'je mangerais' = conditional.

Infinitif

This is the **infinitive** or the whole verb, the form of the verb you find in a dictionary, i.e. 'to eat, to speak, to do', etc. Look for **verbs that end in '-er', '-ir' or '-re'**, e.g. 'manger, finir, vendre', as these are the three types of infinitive forms for regular verbs in French.

Interrogatif

This means a **question** word. You will be looking for words such as 'qui' (*who*), 'quand' (*where*), 'comment' (*how*), 'pourquoi' (*why*), and at the end of the phrase there should be a question mark.

Nom

A 'nom' is a **noun**. A noun is the name of a **person, place or thing**. If a noun has 'le' or 'un' in front of it, it is masculine (*masculin*), if it has 'la' or 'une' in front of it, it is feminine (*féminin*). Nouns can be singular (*singulier*) or plural (*pluriel*). Plural nouns will have 'les' or 'des' in front of them and will usually end in '-s'.

Négation

This is a **negative**. In French the negative is composed of **two parts**. The first word you are looking for is 'ne' and the second word will vary depending on the meaning, e.g. '(je) ne (joue) pas' ((*I do*) *not* (*play*)), 'ne … jamais' (*never*), 'ne … rien' (*nothing*), 'ne … que' (*only*), 'ne … plus' (*no longer*), i.e. 'ne' + **one of: pas/jamais/rien/que/plus**.

Participe présent

This is a **present participle**. In English present participles end in '-ing', e.g. 'eating, jumping'. In French they end in '-ant', so look for a **word that ends in '-ant' and means '-ing'**. Watch out also for words that end in '-ant' but are not present participles, e.g. 'cependant' (*however*), 'maintenant' (*now*) and 'pendant' (*during*).

Passé composé

This is the **past tense** and in French it is composed of two parts, an **auxiliary verb** ('avoir' or 'être') **and a past participle**. Look for 'avoir' or 'être' in the present tense followed by a past participle (most past participles will end in '-é', '-i', or '-u'), e.g. 'tu es allé', 'il a vu'.

Préposition

A **preposition** tells you about the position of someone or something, e.g. 'avant' (*before*), 'avec' (*with*), 'devant' (*in front of*), 'sous' (*under*).

Présent de l'indicatif

Do not let this phrase confuse you. This simply means a **present tense verb**. Remember: if you are asked to find a verb you do not need to give the person, only the verb, e.g. with 'il mange', you only need to write 'mange'.

Pronom

A **pronoun** is a word that is used instead of a noun, e.g. 'he, she, it, them'. There are many different types of pronoun depending on what type of noun is being replaced, e.g. 'je, tu', etc. are all personal pronouns (*pronoms personnels*).

Sujet

This is the **subject** of the verb. The subject of the verb is the **person or thing performing the action** or being described. In the sentence 'Jean joue au tennis', the subject is 'Jean' because it is Jean who is playing tennis.

Verbe

Every sentence contains at least one verb. Most **verbs express actions**. Verbs in French have different endings and forms depending on the person ('I, you, he', etc.) and the tense (past, present, future, etc.).

Verbe pronominal

This is a **reflexive verb**. Look for a verb that has 'me', 'te', 'se/s', 'nous' or 'vous' before it, e.g. 'je me lave', 'nous nous couchons'.

Now test yourself. In the passage below find the following:

1. un verbe pronominal
2. une préposition
3. une négation

4. une conjonction
5. un adjectif possessif
6. un verbe au passé composé

Je m'appelle David et j'ai dix-huit ans. En ce moment je suis en vacances. Je me repose et je fais la grasse matinée tous les matins. L'après-midi je sors avec mes amis. L'année dernière je suis allé en Irlande avec ma famille mais cette année nous n'avons pas assez d'argent.

Past exam questions: Comprehensions to answer in English

For the first two comprehensions the texts usually consist of a series of short paragraphs/ extracts. Past questions have included pieces about holidays, restaurants, films, individual opinions and travel. Solutions to these comprehensions can be found in section 6.

> **exam focus**
>
> In the **first two comprehensions** the questions are asked and answered **in English.**

Comprehension 1

This is an article on part-time jobs for students.

BONS PLANS :
Comment Arrondir ses Fins de Mois

Bosser en même temps qu'on étudie, ce n'est pas toujours facile … mais parfois nécessaire. Voici les secteurs qui recrutent.

1. RESTAURATION, FAST FOOD

- Principe : servir des frites et des hamburgers ou décongeler des steaks en cuisine.
- Conseil : Ici, il faut travailler dur. Il y a très peu de repos.
- Rémunération : 4 € brut de l'heure.
- Contact : présentez-vous au Quick ou au McDo de votre secteur avec un CV et votre carte d'identité. Vous pouvez également vous adresser à la Fédération Nationale de l'Industrie Hôtelière (01.53.00.14.14).

2. TÉLÉSERVICES

- Principe : un casque de téléphone sur la tête et les yeux rivés sur un ordinateur, vous faites de la vente de cuisines, de l'information pour un nouveau service, de la vente de billets d'avions.

- Conseil : ce secteur est en changement. On doit être aimable, patient et poli. Il faut aussi avoir une solide spécialisation dans un secteur et être disponible le soir et les week-ends.
- Rémunération : 4 € brut de l'heure.
- Contact : Syndicat du Marketing Téléphonique (08.36.68.68.72).

3. SURVEILLANT D'ÉCOLE (PION)

- Principe : on surveille les études du soir, la sortie d'un collège ou d'un lycée, etc.

- Conseil : si vous voulez être pion à Paris, les inscriptions se font du 1er février au 15 mars, pour un poste à la rentrée suivante. Des expériences d'animation sont indispensables.

- Rémunération : 975,67 € net pour vingt-huit heures par mois ; 487,53 € net pour quatorze heures.

- Contact : inscriptions par Minitel.

4. BABY-SITTER

- Principe : on garde des enfants tant qu'ils ne sont pas indépendants. On peut aussi aller les chercher à l'école et s'en occuper jusqu'au retour des parents.

- Conseil : l'âge minimum légal pour faire du baby-sitting est de seize ans, avec l'autorisation parentale. Cependant, pour les gardes régulières, les parents préfèrent parfois les jeunes plus âgés. Les garçons aussi ont leur chance, contrairement aux idées reçues.

- Rémunération : 6,09 € à 7,62 € de l'heure.

- Contact : consultez les petites annonces dans la presse locale. À consulter aussi *www.youpala.com*, le seul site de la France entière où parents et baby-sitters s'inscrivent.

Answer in **English**.

1. Name **one** task someone might undertake if working in a fast food restaurant. (**section 1**)

   ....

2. Give **one** way of applying for a job in a fast food restaurant. (**section 1**)

   ....

3. Apart from headphones, what other piece of equipment is required for work in teleservices? (**section 2**)

   ....

4. Name **one** personal quality required in those applying for work in teleservices. (**section 2**)

   ....

5. Describe **two** duties of the school supervisor (*pion*). (**section 3**)

   (i) ....

   (ii) ....

6.   What is the rate of pay for 28 hours' work? (**section 3**)

     . . . .

7.   What else might a baby-sitter be expected to do apart from minding the children?
     (**section 4**)

     . . . .

8.   From what age is it legal to work as a baby-sitter in France? (**section 4**)

     . . . .

9.   Name one place where baby-sitting jobs are advertised. (**section 4**)

     . . . .

Comprehension 2

Monsieur Durable is very concerned about the environment. This article describes his
daily routine.

LA JOURNÉE IDÉALE DE MONSIEUR DURABLE

1. **7:30** Sa journée commence. Il se lève. Il file à la douche. Prise en quelques minutes, elle nécessite cinq fois moins d'eau qu'un bain. En fermant le robinet quand il se lave les dents (manuellement), il économise quinze litres d'eau.

   8:30 M. Durable laisse sa voiture au garage et choisit les transports en commun. Il prend son vélo quand il fait beau.

2. **9:15** Au bureau il pense à utiliser les deux faces du papier pour ses photocopies. Il a appris que le papier, qui vient des forêts, constitue 80 % des déchets produits par une administration.

   12:30 Il va faire ses courses muni d'un sac en tissu, ce qui évite les sacs en plastique. M. Durable aime acheter ses fruits et son fromage au marché ; il refuse d'acheter des produits importés qu'on doit transporter en avion, car l'avion endommage l'environnement.

3. **15:30** Petite pause. M. Durable sort du bureau prendre l'air. Il regarde autour de lui. Que la rue est sale ! Il ne veut pas être comme les autres – il ne jette pas son chewing-gum par terre. Le chewing-gum ne disparaît jamais.

20:30 M. Durable vient de dîner. Heureusement qu'il a un lave-vaisselle. Il peut y mettre tous les couverts de la journée, ceux du petit déjeuner et ceux du dîner. Il met la machine en marche une fois par jour ; il sait qu'une machine pleine consomme beaucoup moins d'eau.

4. 22:30 Le film du soir est terminé. M. Durable pense à éteindre complètement son téléviseur, ainsi que tous les appareils en veille comme le magnétoscope et la chaîne hi-fi.

23:00 Il éteint sa lampe de chevet, dont l'ampoule basse consommation durera six fois plus longtemps qu'une ampoule classique. Ouf ! Il peut dormir du sommeil du juste, en paix avec la Terre.

Answer in **English**.

1. How much water does M. Durable save by turning off the tap while brushing his teeth? (**section 1**)

   . . . .

2. How does M. Durable travel to work in fine weather? (**section 1**)

   . . . .

3. What makes up 80% of office waste? (**section 2**)

   . . . .

4. Name **two** items M. Durable buys at the market. (**section 2**)

   (i) . . . .

   (ii) . . . .

5. What does he notice about the street? (**section 3**)

   . . . .

6. How often does M. Durable use his dishwasher? (**section 3**)

   . . . .

7. Name two machines M. Durable switches off at the end of the evening. (**section 4**)

   (i) . . . .

   (ii) . . . .

8. M. Durable falls asleep at peace with (**section 4**):

   (i) his boss. ❐
  (ii) his neighbours. ❐
 (iii) the Earth. ❐
 (iv) his family. ❐

Comprehension 3

This article offers information on a number of holiday destinations.

CET ÉTÉ, CAP SUR LES ÎLES … D'EUROPE

Quand on dit île, on pense palmiers et vahinés. Et pourtant, l'exotisme est à nos portes. *Phosphore* a sélectionné pour vous quatre destinations en Europe. Que des îles !

1. L'IRLANDE

L'Irlande n'est pas la moins chère des îles européennes, hélas ! Nourriture, logement, transports, il faudra prévoir un peu de budget, même avec nos tuyaux. Mais quel dépaysement ! Quelle magie dans les paysages … Ne manquez pas la région du Donegal, au nord. Aussi beau que le Connemara mais … beaucoup plus tranquille. Les bons plans : Eurolines vous emmène en car à Dublin (via Londres) pour pas cher. En avion (Paris/Shannon), préférez Aer Lingus. Par bateau, les meilleurs prix en août sont ceux d'Irish Ferries.

Sur place : avec la carte Isic (19 €), demi-tarif sur les cars des lignes intérieures.

2. LES BALÉARES

Pour des vacances garanties avec soleil et pas chères. Chaque île a sa spécialité : Majorque pour les plages, Ibiza pour ses fêtes de plus en plus déjantées et, plus loin, Minorque pour son authenticité. Les auberges de jeunesse sont bon marché. On peut même s'essayer au camping pour des vacances à portée des plus petites bourses.

3. LA DALMATIE

Les 600 îles du sud de la Croatie constituent un des paysages les plus fascinants d'Europe. En plus, ce coin de paradis – épargné par le conflit du Kosovo – a besoin des touristes pour reconstruire son économie dévastée par la précédente guerre des Balkans. Les bons plans : Eurolines, pour un voyage en car. Ou la SNCF avec une formule train + bateau, sympa mais plus cher.

4. L'ARCHIPEL DE STOCKHOLM

Pour ceux qui préfèrent le charme naturel du Nord. Les environs de la capitale suédoise ne comptent pas moins de 24 000 îles ! Auberges de jeunesse, camping, Stockholm sait accueillir. Un conseil : ne manquez pas le détour par l'île d'Utö, jeune et dynamique, au sud de l'archipel.

Answer in **English**.

1. Some aspects of holidays in Ireland can be expensive. Name **two**. (**section 1**)

    . . . .

    . . . .

2. What is offered to holders of the Isic card? (**section 1**)

    . . . .

    . . . .

3. For what is Majorca famous? (**section 2**)

    . . . .

    . . . .

4. Name **two** types of cheap accommodation available on the Balearic Islands. (**section 2**)

    . . . .

    . . . .

5. Why do the Dalmatian Islands need tourists? (**section 3**)

    . . . .

    . . . .

6. What type of ticket is available from the SNCF? (**section 3**)

    . . . .

    . . . .

7. List **two** points about the island of Utö. (**section 4**)

    . . . .

    . . . .

Comprehension 4

This is an advertisement for the Vendée region of France.

À LA DÉCOUVERTE DU HAUT BOCAGE VENDÉEN

La Maison de la Vie Rurale

Cette ferme typique présente la culture rurale du Haut Bocage Vendéen et son environnement à travers des expositions, des animations touristiques et artistiques. À découvrir, l'exposition permanente : « Bocage vendéen, histoire d'un paysage » et le jardin des légumes rares.

Tél. 02 51 57 77 14 La Flocellière

Le Village Vendéen Miniature

Plus de 300 santons représentent les gestes d'autrefois … Des maisons, magasins, charrettes, et un Moulin animé … tout en miniature ! Une visite où vous vous laisserez emporter par le temps et que les enfants ne sont pas près d'oublier …

Tél. 02 51 65 71 94/02 41 30 22 25 Tiffauges

Le Mont des Alouettes

Visite du moulin à vent en activité, qui servait de télégraphe optique en 1793. Explications sur son fonctionnement et commentaires sur ce site historique qui offre un remarquable panorama sur le Bocage. Visite gratuite de la chapelle.

Tél. 02 51 67 16 66 Les Herbiers

La Chabotterie

Le logis meublé, les salles historiques, les jardins à la française illustrent la vie quotidienne d'une famille au XVIIIe siècle. Un parcours spectacle et une vidéo rappellent le souvenir de la guerre de Vendée et l'arrestation de Charette. Sur place : restaurant, aires de pique-nique.

Tél. 02 51 42 81 00 St Sulpice le Verdon

Le Refuge de Grasla

Ce village reconstitué rappelle la vie de la population locale durant la Guerre de Vendée en 1794. Des bornes audio, des films, des décors vous feront revivre cette page d'histoire. À découvrir également : des sentiers balisés, à parcourir à pied ou en vélo, des aires de pique-nique en Forêt de Grasla et à la Ferme de l'Oiselière.

Tél. 02 51 42 96 20 Les Brouzils

La Maison de la Rivière et du Pêcheur

Du survol de la rive à la vie au fond de l'eau : un voyage qui éveille tous vos sens. Des sensations à travers les senteurs réelles et la pêche virtuelle … De l'émotion par la révélation des secrets de la vie aquatique.

Nombreuses activités : promenades en bateaux, sentiers botaniques.

Tél. 02 51 46 44 67 St Georges de Montaigu

Le Musée de la Voiture à Cheval

Revivez les sensations des voyageurs d'autrefois à travers une collection de 55 voitures à cheval des 18e, 19e et 20e siècles. Ces voitures de luxe provenant de différents châteaux sont restaurées dans la plus pure tradition française.

Nouveau : promenades dans le Parc de la Bretèche.

Tél. 02 51 57 39 04 Les Epesses

Answer in **English**.

1. (i) List **two** types of buildings to be found in *Le Village Vendéen Miniature*.

. . . .

. . . .

(ii) What is said about the impact of the visit on children?

. . . .

2. What is said about the chapel in *Le Mont des Alouettes*?

. . . .

3. What telephone number would one ring if one wished to visit a garden of rare vegetables? 02 51 _____

4. Name one activity available at *La Maison de la Rivière et du Pêcheur*.

. . . .

5. Where did the horse-drawn carriages come from?

. . . .

6. What aspect of the 18th century is illustrated in *La Chabotterie*?

. . . .

7. Name two ways in which one can move around in *Le Refuge de Grasla*.

. . . .

. . . .

Comprehension 5

Votre bien-être

De bonnes raisons de fondre devant le chocolat

1. Noir, au lait, blanc, simple ou sophistiqué, en bonbon, crème ou boisson, le chocolat sous toutes ses formes fait l'unanimité. Ne boudons pas notre plaisir.

2. Il est moelleux

Le chocolat permet de faire la mousse … au chocolat, l'un des meilleurs desserts. La recette figure généralement au dos des bonnes tablettes de chocolat noir. Accompagnée d'une salade d'oranges saupoudrées de cannelle, cela devient un « grand » dessert. Avec un verre de monbazillac, cela touche au sublime.

3. Il est délicieux

C'est vraiment la première raison de « craquer ». Une raison partagée par beaucoup. Le chocolat a ses clubs de « fans » !

Il est festif

Par exemple, qui imaginerait les fêtes de Pâques sans un peu de chocolat ?

À Noël, au jour de l'an, pour tous les événements heureux de la vie, le chocolat est là. Depuis notre plus jeune âge, chocolat veut dire cadeau et récompense.

4. Il est énergétique

(a) Mélange de pâte de cacao, de beurre de cacao et de sucre, il est énergétique, mais attention, il faut en manger avec modération; sinon, on risque de grossir.

(b) À noter : l'effet tonique attribué au chocolat serait en partie provoqué par la présence de potassium et de magnésium, qui assurerait une meilleure efficacité musculaire et une plus grande résistance à la fatigue.

5. Il est antistress

Selon une nutritionniste réputée, « sous l'effet du plaisir que procure le chocolat et pendant les doux instants de sa dégustation, l'organisme fabrique sa propre morphine qui stimule les sentiments de bonheur. En même temps, la consommation du chocolat a pour effet de ralentir la production d'adrénaline, responsable d'états de stress ».

Answer in **English**.

1. Name **two** forms in which chocolate is enjoyed. (**section 1**)

    (i) ....

    (ii) ....

2. Where, according to **section 2**, would you find a recipe for chocolate mousse?

   ....

3. Name **two** occasions when one celebrates with chocolate. (**section 3**)

   (i) ....

   (ii) ....

4. Name **one** advantage and **one** disadvantage of chocolate as a food item. (**section 4 (a)**)

   ....

   ....

5. (i) In **section 4 (b)**, the writer claims that the presence of potassium and magnesium in chocolate:

   (a) wears away the body's muscles. ❏

   (b) causes tiredness. ❏

   (c) fights tiredness. ❏

   (d) develops big muscles. ❏

   (ii) In what **two** ways does chocolate affect our state of mind? (**section 5**)

   ....

   ....

Comprehension 6

This article gives some practical advice and information about a three-day outdoor rock concert which is held near Paris every year.

FESTIVAL ROCK EN SEINE

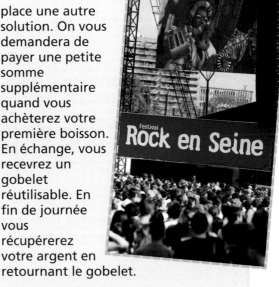

1. Venir à Rock en Seine

Le festival Rock en Seine a lieu dans le Domaine national de Saint-Cloud, près de Paris. Ce site est très bien desservi par les transports en commun donc, pour vous rendre au festival, nous vous conseillons de les utiliser. L'entrée principale du festival se situe près de la station de métro « Boulogne – Pont de Saint-Cloud ».

2. Environnement

Le Domaine national de Saint-Cloud date du XVIIème siècle. Ainsi nous vous remercions de respecter ce lieu, surtout ses arbres, afin qu'il conserve toute sa beauté et sa magie. Utilisez notamment les poubelles mises à votre disposition pour vos déchets et mégots éteints.

3. Argent

Attention : il n'y a pas de distributeurs de billets dans le parc pendant le festival et les cartes de crédit ne sont pas acceptées comme moyen de paiement sur le site. Prenez vos précautions avant d'entrer dans l'endroit du festival.

4. Consigne

Une consigne gratuite est mise à votre disposition à l'entrée principale. Nous vous rappelons que les enregistreurs, appareils photos et animaux sont interdits sur le site du festival.

5. Bar/Restauration

Cette année, Rock en Seine dit « stop » aux gobelets en plastique et met en place une autre solution. On vous demandera de payer une petite somme supplémentaire quand vous achèterez votre première boisson. En échange, vous recevrez un gobelet réutilisable. En fin de journée vous récupérerez votre argent en retournant le gobelet.

6. Rockcamping

Le festival vous propose de partager ses nuits au cœur du camping Rock en Seine. Un petit coin de paradis pour les dernières nuits de l'été. Les billets sont disponibles en quantité limitée et sont uniquement vendus en ligne dans notre espace billetterie. Le camping est ouvert dès 10h du matin et est accessible seulement à ceux qui ont un *Billet 2 Jours*, qu'ils devront présenter à l'entrée.

7. Accès personnes à mobilité réduite

Des plates-formes en hauteur avec rampes sont réservées aux personnes à mobilité réduite sur le site du festival. Pour toute information quant à l'accès à ces plates-formes et au parking réservé, merci d'adresser les informations suivantes : nom, adresse, ainsi que le numéro d'immatriculation de votre véhicule à contact@rockenseine.com.

Answer in **English**.

1. What advice is given to people travelling to the 'Rock en Seine' festival? (**section 1**)

   ....

2. Where is the main festival entrance situated? (**section 1**)

   ....

3. What are festival-goers asked particularly not to damage in the park? (**section 2**)

   ....

4. What method of payment is **not** accepted at the festival? (**section 3**)

   ....

5. Name **two** items which are forbidden on the festival site. (**section 4**)

   (i) ....

   (ii) ....

6. What will customers be asked to do when they buy their first drink? (**section 5**)

   ....

7. Where can tickets for the campsite be bought? (**section 6**)

   ....

8. What will people staying at the campsite have to show at the entrance? (**section 6**)

   ....

9. For information on reserved parking places, what other detail is required, in addition to name and address? (**section 7**)

   ....

Past exam questions: Comprehensions to answer in French

The aim of the last question, which is answered in English, is to show the examiner that you have understood the text. You are asked to make two points and each point is worth 4 marks. Make sure you back up each point you make by referring to the text.

In comprehensions 3 and 4 the questions are asked in French and must be answered in French (apart from the last question, which is asked and answered in English).

Magazine extract/newspaper article

Comprehension 1

This interview with the German rock group *Tokio Hotel* is taken from the French magazine *SUPER*.

Comprehension 3 is usually an extract from a French newspaper or magazine.

« TOKIO HOTEL », un groupe de quatre garçons venus d'Allemagne, a eu un succès fou en France et maintenant ils veulent séduire les autres pays européens.

1. Notre nouveau single « Spring nicht » vient de sortir et nous allons en faire la promotion. Nous avons aussi deux concerts de prévus en France en octobre, à Clermont-Ferrand et à Lyon. Puis, le 30 octobre, nous préparons un énorme concert à Milan. Nous sommes très excités car notre musique commence à être très appréciée aussi en Italie. Comme tous les groupes nous avons envie que notre musique soit écoutée par le plus grand nombre de personnes. Nous avons sorti un album en anglais parce que, comme ça, ceux qui ne parlent pas allemand pourront comprendre nos paroles.

2. Nous avons beaucoup progressé en un an. Nous avons fait énormément de concerts, Tom s'est beaucoup amélioré à la guitare et nous maîtrisons vraiment notre son et notre manière de jouer, ce qui nous permet d'aller encore plus loin musicalement. Je crois que nous suivons une pente ascendante, nous progressons comme un groupe doit progresser pour assurer devant ses fans, surtout lorsqu'ils sont de plus en plus nombreux.

3. Notre public est très teenager, mais ça ne nous dérange pas. Le rock, c'est plutôt une musique de jeunes, donc c'est un peu normal que notre public le soit. On veut faire passer un message dans nos chansons, et peu importe l'âge du destinataire. On reçoit parfois des lettres de trentenaires qui nous disent qu'ils aiment nos textes, qu'ils s'y reconnaissent. Ce que nous voulons, c'est faire passer notre propre message et qu'il touche le plus de monde possible.

4. Nous n'allons plus à l'école, car cela ne nous est plus possible. Donc, nous suivons des cours par correspondance. Nous n'avons pas de super souvenirs de la rentrée scolaire, car nous avons souvent eu des problèmes à l'école. Quand on est différent, quand on ne s'habille pas comme les autres, on a souvent beaucoup de difficultés et puis il faut se conformer aux règles. En plus, nous avions une personnalité bien affirmée et nous disions franchement ce que nous pensions. Du coup, ça passait souvent mal avec les profs.

Répondez **en français** aux questions 1 à 7 et **en irlandais ou en anglais** à la question 8.

1. Qu'est-ce que le groupe Tokio Hotel va faire en France au mois d'octobre ? (**section 1**)

   . . . .

2. Trouvez l'expression qui explique pourquoi le groupe est très excité en ce moment. (**section 1**)

   . . . .

3. Relevez la phrase qui explique pourquoi Tokio Hotel a enregistré un album en anglais. (**section 1**)

   . . . .

4. Le groupe a fait beaucoup de progrès en un an. Donnez-en **deux** exemples. (**section 2**)

   (**i**) . . . .

   (**ii**) . . . .

5. Quelle est l'attitude des gens d'une trentaine d'années envers la musique de Tokio Hotel ? (**section 3**)

   . . . .

6. Comment est-ce que les quatre garçons reçoivent leur éducation en ce moment ? (**section 4**)

   . . . .

7. Pourquoi les garçons ont-ils eu des difficultés à l'école ? (**section 4**)
   (**i**) Parce qu'ils avaient les cheveux trop courts. ❐
   (**ii**) Parce qu'ils portaient des vêtements différents. ❐
   (**iii**) Parce qu'ils jetaient des papiers en classe. ❐
   (**iv**) Parce qu'ils ne faisaient jamais de devoirs. ❐

8. "The group Tokio Hotel has been very successful." Do you agree? Answer in English, giving two points and referring to the text.

   (**i**) . . . .

   (**ii**) . . . .

Comprehension 2

This article from *Le Parisien* describes New Year's Eve celebrations in France.

RENÉ ET ROBERTE

1. René, 70 ans, et sa femme Roberte, 73 ans, ne seront pas les derniers à rejoindre la piste de danse le soir du 31 décembre. « *Mais nous serons sûrement les derniers à quitter la soirée* », plaisante René. Avec deux des frères et sœurs de René et quelques amis du même âge, le couple retraité depuis une dizaine d'années a décidé de passer le réveillon de la Saint-Sylvestre dans un restaurant, *le Relais des Chevaliers.*

La petite bande d'amis ne raterait un Nouvel An pour rien au monde, mais c'est une des premières fois qu'ils se rendent dans un restaurant.

2. « **C'est plus convivial** »

« *Nous préférons maintenant faire le réveillon au restaurant plutôt qu'à la maison* » explique Roberte. « *Nous connaissons le patron, et c'est quand même plus convivial.* » En tout, une soixantaine de personnes seront là ce soir, âgées de 50 à 70 ans. Car si Roberte, René et leurs amis aiment bien manger, ils aiment aussi la société, danser et chanter. Ce qu'ils préfèrent : la musique des années 1980, le disco. Plus tard, sur la scène, ce soir, le restaurant offre quelque chose de vraiment spécial – Franck, illusionniste et ventriloque. « *Je vais faire des tours de magie en faisant participer le public* » explique Franck. René et Roberte ne comptent pas quitter les lieux avant cinq ou six heures du matin.

Sara et ses amis

3. La soirée ne sera pas semblable à toutes les autres fêtes qui les réunissent pendant l'année. Pour la Saint-Sylvestre, la dizaine d'amis âgés d'une vingtaine d'années a décidé d'organiser un repas assis chez Jules. « *Mais après, on dansera comme des fous pendant toute la nuit* », précise Sara, vingt-deux ans. Les meubles du grand appartement de Jules seront poussés contre les murs et un beau couvert sera disposé sur la grande table. Florent, Lucie, Sara, Maud et tous les invités font partie de la même petite bande qui s'est rencontrée à l'Université il y a deux ans.

4. « **Sortir de l'ordinaire** »

Thème de leur soirée : la Russie. « *C'est pour faire plaisir à Florent et à Sara* » explique Jules. Florent a vécu là-bas. Quant à Sara, elle est d'origine russe. Et c'est donc à elle que revient la préparation du repas, assistée de Lucie à la décoration. Sans oublier les bouteilles de champagne, pas de première qualité mais indispensables aux douze coups de minuit. Coût de leur soirée : entre 30 € et 40 € par personne. Ils ne veulent pas dépenser trop d'argent.

L'année dernière, la petite bande avait cherché l'aventure un peu plus loin. Ils se sont tous embarqués avec quelques euros en poche pour un week-end dans la maison de la grand-mère de Maud, sur la Côte d'Azur. Une soirée « extraordinaire » dans leurs souvenirs !

Répondez **en français** aux questions 1 à 7 et **en irlandais ou en anglais** à la question 8.

1. Où est-ce que René et Roberte vont passer le réveillon de la Saint-Sylvestre ? (**section 1**)

    . . . .

2. Trouvez dans la **deuxième section** l'expression qui indique combien de personnes seront avec eux.

    . . . .

3. Selon l'article, Franck est (**section 2**):

    (i) l'ami de René. ❐
    (ii) garçon de restaurant. ❐
    (iii) chef de cuisine. ❐
    (iv) magicien. ❐

4. Citez une expression qui nous indique que René et Roberte vont rentrer tard à la maison. (**section 2**)

    . . . .

5. (i) Où est-ce que Sara et ses amis vont fêter la Saint-Sylvestre ? (**section 3**)

    . . . .

    (ii) Trouvez dans la **troisième section** un verbe au futur simple.

    . . . .

6. Quelle est la nationalité de Sara ? (**section 4**)

    . . . .

7. Où est-ce que les amis sont allés l'année dernière ? (**section 4**)

    . . . .

8. "Different age groups celebrate the New Year differently." Comment in **English** on this statement, giving **two** examples from the text.

    (i) . . . .
    (ii) . . . .

Comprehension 3

This article describes the conditions under which 16-year-olds are allowed to drive in France.

SORTEZ BIEN ACCOMPAGNÉ

Prendre le volant à 16 ans. C'est possible. C'est même conseillé pour réussir le permis de conduire du premier coup.

1. Avant de commencer à conduire, il faut s'inscrire dans une auto-école.

- D'abord il y a l'apprentissage du code de la route et la préparation à son examen. En général, il faut autour de deux mois de cours pour se présenter à l'examen du code.

- Après avoir réussi cet examen, on passe à la phase conduite. Les vingt premières heures, vous prenez le volant avec votre moniteur d'auto-école.

- Après cette initiation, c'est au tour de votre tuteur de prendre le relais pour la conduite accompagnée.

Vous devrez parcourir 3 000 km en un an minimum et trois ans maximum, où et quand vous voulez, pour valider votre formation.

2. SOYEZ PRUDENTS AU VOLANT

On ne le dira jamais assez : les premières victimes de la route sont les 19-24 ans. Voici deux sites pour vous sensibiliser aux dangers de la route. Consultez-les !

- www.preventionroutiere.asso.fr
- www.securiteroutiere.equipement. gouv.fr

3. Un tuteur pour filer droit

Pas de conduite accompagnée sans accompagnateur ! C'est avec lui (ou elle) que vous allez apprendre à conduire, alors autant choisir quelqu'un de patient et pédagogue ! Le tuteur doit être âgé d'au moins 28 ans et compter déjà trois ans de conduite sans accident. En général, ce sont les parents, le grand frère ou la grande sœur. Pour devenir accompagnateur, il faut avoir l'accord de la compagnie d'assurances du propriétaire du véhicule.

Pendant la formation, vous devez soigneusement noter tous vos trajets sur un carnet de bord. Date, heure, lieu, conditions (montagne, pluie, autoroute ...), état de la circulation (embouteillages) : tout doit y figurer ! On est susceptible de vous le demander à tout moment, alors remplissez-le régulièrement. La conduite accompagnée est le meilleur moyen de réussir son permis du premier coup, avec un taux de réussite proche de 75 %.

Durant l'apprentissage, puis pendant deux ans après l'obtention du permis, votre vitesse est limitée à 80 km/h sur route, 100 km/h sur voie rapide et 110 km/h sur autoroute. Ensuite, vous pourrez rouler respectivement à 90, 110 et 130 km/h.

4. Combien ça va coûter ?

La formule coûte à peu près 870 €. Elle comprend les cours de code, le manuel d'apprentissage, l'inscription à l'examen, les vingt heures de conduite avec le moniteur, les frais de dossier et le carnet de bord.

Répondez **en français** aux questions 1 à 5 et **en irlandais ou en anglais** à la question 6.

1. (i) Avant de conduire sur la route, qu'est-ce qu'on doit faire, d'après la **première** section ? (**un point**)

   ....

   (ii) Combien de temps est-ce qu'on doit passer au début avec le moniteur ? (**section 1**)

   (a) Un an. ❐

   (b) Trois ans. ❐

   (c) Une heure. ❐

   (d) Vingt heures. ❐

2. Où est-ce qu'on peut trouver des renseignements sur les dangers de la route ? (**section 2**)

   ....

3. Citez **deux** des conditions nécessaires pour devenir tuteur. (**section 3**)

   (i) ....

   (ii) ....

4. Qu'est-ce qu'on doit noter sur le carnet ? Donnez **deux** détails. (**section 3**)

   (i) ....

   (ii) ....

5. Trouvez **un adverbe** dans la **troisième** section.

   ....

6. "According to this article, young learner drivers in France are given a very thorough training." Comment in English on this statement, giving **two** examples from the text.

   (i) ....

   (ii) ....

Literary extract

Comprehension 1

Dans cet extrait l'auteur nous parle de sa jeunesse à Trans, en Bretagne, et de sa vie en pension* à Dinan.

Comprehension 4 is usually an extract from a literary piece, e.g. an extract from a French novel.

1. Que j'aimais les retours à la maison de mes frères et sœurs. C'était la vraie fête. Ils avaient tous plein d'histoires de dortoirs**, de profs et de toutes sortes d'activités extraordinaires. Nous les petits, on les écoutait bouche bée, on était au spectacle. Nos petites histoires de cours de récréation nous paraissaient tellement ordinaires à côté de leur vie magique à la ville, en pension, avec ses aventures, ses intrigues, ses secrets … Je savais que ça allait bientôt être mon tour, je brûlais d'impatience. Je me rêvais pensionnaire. Mais Jacques m'avait dit : « Tu ne connais pas ton bonheur, ici, à Trans ; la pension, … tu verras bien, ça va être different. »

2. Et puis je suis devenu pensionnaire, à mon tour. J'ai passé l'examen pour obtenir une bourse, à Saint-Malo. J'avais dix ans et demi. Et, en octobre, à la rentrée, j'ai rejoint Jacques à Dinan, tout excité.
   Mais c'est Jacques qui avait raison : dès le premier soir, dans ce grand dortoir aux tristes lits de métal froid, j'ai eu un cafard noir. Pourquoi n'étais-je pas à Trans, dans la cuisine, à lire tranquillement, bien au chaud, avec la famille ? Qu'est-ce que je faisais dans cet endroit triste où à part Jacques je ne connaissais personne ?

3. « Faites, Seigneur, que ce soit un rêve, un cauchemar, que je me réveille à Trans, dans la maison, que je parte jouer dans la cour, que je retrouve les poules, les lapins, que j'aille chercher le lait à la ferme avec Bernard et Madeleine, qu'on parte se promener à la forêt … » Mais Dieu ne répondait pas à mes prières. Chaque matin je me réveillais dans le dortoir. Avant, j'avais voulu être au pensionnat, comme les grands. Maintenant j'y étais.

Adapté de *Chaque jour est un adieu*.
A. Rémond

* pension   *boarding school*
** dortoir *dormitory*

Répondez **en français** aux questions 1 à 3 et **en irlandais ou en anglais** à la question 4.

1. (i) L'auteur est très content quand ses frères et sœurs reviennent de la pension. Trouvez dans la **première** section **une phrase** qui indique son contentement.

   ....

   (ii) Avant d'aller en pension (**première section**) l'auteur pense que la vie y est :

   (a) ennuyeuse.　　　　☐
   (b) formidable.　　　　☐
   (c) sans intérêt.　　　☐
   (f) solitaire.　　　　　☐

(iii) Retrouvez **une phrase** qui nous montre que l'auteur a vraiment envie d'aller en pension. (**section 1**)

....

2. (i) Qu'à dû faire l'auteur pour pouvoir entrer en pension ? (**section 2**)

....

(ii) Quel âge avait-il ? (**section 2**)

....

(iii) Quand est-ce qu'il a commencé ses études à Dinan ? (**section 2**)

....

3. L'auteur prie Dieu. Il voudrait être chez lui. Relevez **deux** des activités qu'il voudrait faire à la maison. (**section 3**)

(i) ....

(ii) ....

4. Life in boarding school is very different from how he had imagined it would be. Do you agree? Answer this question in English, giving **two** points and referring to the text.

(i) ....

(ii) ....

Comprehension 2

La narratrice s'appelle Anne et elle a seize ans. Elle a grandi à Toulouse. Elle vit avec sa mère. Elles se sont installées récemment à Limoges où la mère a été nommée directrice d'une compagnie. Un soir, Anne ne rentre pas directement du lycée et elle arrive chez elle plus tard que d'habitude. Elle a la surprise de trouver sa mère qui l'attend. Ce soir-là, la mère était rentrée plus tôt que d'habitude !

1. – D'où tu viens ?

Elle m'attendait, debout à côté du téléphone et elle n'était pas très contente.

– Il y a une heure que je t'attends, Anne. J'étais morte d'inquiétude.

– Mais d'habitude tu ne rentres pas avant sept heures … je n'ai pas trouvé mieux comme excuse que cette absurde contre-attaque. C'était idiot de ma part. Ma pauvre mère s'est fâchée tout rouge.

– Comment ça, « d'habitude » ? Pour une fois que je reviens tôt ! Et tout ce que je trouve à mon retour, c'est un appartement désert et pas même un mot de ma fille pour me dire où elle est … On peut savoir ce que tu fais, Anne, entre la sortie des cours et la nuit noire ?

– Euh …

– Comment ça, « euh » ?

– J'étais chez un ami.

– Chez un ami ?

2. À la seconde, le visage de ma mère s'est calmé. Je serais curieuse de savoir de quoi elle avait peur. Elle apprend que sa fille chérie a passé la soirée avec un garçon inconnu et la voilà complètement rassurée ! Elle en avait même l'air contente !

– Et comment s'appelle-t-il, cet ami ?

– Neville.

– Neville. Ce n'est pas mal, Neville. Et que font ses parents ?

– Comment veux-tu que je le sache ? Je ne le lui ai pas demandé. On ne se connaît pas encore assez.

– Alors c'est tout nouveau, cette histoire, a-t-elle commenté en se frottant les mains.

– Exactement, tout nouveau de ce soir, ai-je insisté.

3. Je me demandais pourquoi mes explications lui faisaient tellement plaisir.

Ma mère aimait donner l'impression d'être l'éternelle optimiste mais, de temps en temps, elle se faisait quand même des soucis. Elle avait compris à quel point j'étais seule depuis le déménagement. Elle s'inquiétait, en bonne mère qu'elle était, pour sa fille qui, avant, avait été si populaire à Toulouse.

4. J'avais peur qu'elle me questionne longuement sur ce nouvel ami tombé du ciel. Mais la seule question qu'elle m'a posée, c'était :

– Il ne fume pas, j'espère ?

J'ai pu répondre, en paix avec ma conscience :

– Non.

Là s'est arrêté l'interrogatoire parce que le téléphone a sonné. Maman a couru pour répondre. J'étais sauvée ! Bavarde comme elle l'était, elle allait parler pendant au moins une demi-heure. Mais elle est revenue, comme une bombe, l'œil brillant.

– C'est pour toi !

– Moi ?

Qui pouvait m'appeler ? Je ne connaissais personne. Ma mère s'est gentiment penchée vers moi et elle a murmuré :

– C'est Neville. Il veut te parler.

Répondez **en français** aux questions 1 à 4 et **en irlandais ou en anglais** à la question 5.

1.   (i)   Depuis combien de temps sa mère attend-elle Anne ? (**section 1**)

   ....

   (ii) Lequel des mots suivants résume le mieux l'attitude de la mère dans la **section 1** ?

   (a) Contentement.   ❐
   (b) Colère.   ❐
   (c) Indifférence.   ❐
   (d) Joie.   ❐

   (iii) Selon sa mère (**section 1**), Anne aurait dû :
   (a) préparer le repas du soir.   ❐
   (b) ranger sa chambre.   ❐
   (c) faire ses devoirs.   ❐
   (d) faire savoir à sa mère où elle était.   ❐

2.   (i)   Sa mère apprend qu'Anne a « passé la soirée avec un garçon inconnu ».
         Lequel des mots suivants résume le mieux sa réaction ? (**section 2**)

   (a) Indifférence.   ❐
   (b) Choc.   ❐
   (c) Colère.   ❐
   (d) Satisfaction.   ❐

   (ii) Pourquoi Anne ne sait-elle pas ce que font les parents de Neville ? (**section 2**)

   ....

3.   Sa mère s'inquiétait pour Anne. Pourquoi ? (**section 3**)

   ....

4.   (i)   Pourquoi la mère a-t-elle arrêté de poser des questions ? (**section 4**)

   ....

   (ii) Anne se croit « sauvée ». Pourquoi ? (**section 4**)

   ....

5.   Describe the relationship between Anne and her mother. (Answer this question in
     English, giving two points.)

   (i)   ....

   (ii) ....

Comprehension 3

The narrator is a neighbour of Malik, who comes from Morocco.

1. Quand j'étais sûre que mes parents dormaient, je descendais silencieusement l'escalier. Je n'avais qu'à ouvrir sans bruit la porte verte et là, tout contre, il y avait la boîte aux lettres de Malik. Par la fente de la boîte aux lettres, nous nous parlions presque toute la nuit. Il ne passait jamais personne dans ce quartier après vingt-deux heures. J'étais tranquille. Si des noctambules me dérangeaient, je rentrais vite me réfugier dans l'entrée et je refermais sur moi la porte en attendant qu'ils aient disparu.

2. Quelquefois, en pleine nuit, ma mère entrait dans ma chambre. Elle voyait que je n'étais pas là, elle courait dans l'escalier, et elle m'appelait, affolée. Moi, je lui répondais simplement :

– Ne t'inquiète pas, maman, j'ai entendu du bruit dans la rue, je suis descendue vérifier que personne ne crevait les pneus de la voiture, on ne sait jamais.

Ma mère me croyait. D'ailleurs, elle n'aurait jamais pensé que moi, sa fille de douze ans, je sortais presque chaque nuit pour parler à un garçon qui en avait quatorze, qui habitait tout contre notre maison, et que j'aimais.

3. Malik vivait avec sa mère. Aucun bruit ne circulait sur eux, on n'en disait rien de spécial dans le quartier, on les ignorait. Ils ne recevaient jamais de courrier. Dans la journée, aucune lettre ne dépassait de la boîte pour effleurer le pardessus d'un passant.

Jasmine travaillait tous les jours, elle vivait à l'usine. Je me souviens qu'elle portait toujours le même châle, rouge, avec des lunes imprimées et des étoiles dorées. Elle avait les paumes teintes au henné et les mains toutes blessées et rugueuses à cause de son travail. Malgré tout, je la trouvais plus belle que ma mère.

Répondez en **français** aux questions 1 à 4 et en **irlandais** ou en **anglais** à la question 5.

1.   À quel moment la narratrice descendait-elle l'escalier ? (**section 1**)

....

2.   Relevez les mots qui montrent qu'elle prenait **deux** autres précautions. (**section 1**)

    (i) ....

    (ii) ....

3.   (i) Qu'est-ce qui permettait à Malik et à Léa de communiquer ? (**section 1**)

    ....

    (ii) Quelquefois, pendant la nuit, la mère de la narratrice courait dans l'escalier. Pourquoi ? (**section 2**)

    ....

4.   (i) Malik et sa mère ne se faisaient pas remarquer. Relevez **un** élément qui le montre. (**section 3**)

    ....

    (ii) Où travaillait la mère de Malik ? (**section 3**)

    ....

    (iii) Relevez les mots qui montrent que son travail était dur. (**section 3**)

    ....

5.   Do you think that Léa had a good relationship with her mother? (**two** points: answer in English)

    (i) ....

    ....

    (ii) ....

    ....

3 Written Expression

exam focus

Percentage = 15%
Marks = 60 (30 + 30)
Time = 45 minutes
(20 + 20 + 5 minute check)

Introduction

The Written Expression paper is divided into **three** sections, A, B and C. Each section has **two options**.

- **Section A** consists of a cloze test or a form to fill in.
- **Section B** consists of a message or a postcard to write.
- **Section C** consists of a formal letter or a diary entry.

You must do two questions, one each from two different sections. Each question is worth 30 marks.

My advice to you would be to **do one or even both options** from section A (**the cloze test and/or the form**). The cloze test and the form do not take long to do and it is possible to score very highly in them. **Then you can choose whichever question you are best prepared for from four: B (a), B (b), C (a) or C (b).**

When you have chosen your questions, check what you are being asked to do, paying particular attention to the **tenses** that are needed. Do a rough draft and when you have finished each question, make sure to **read back over what you have written and check your grammar.**

Section A (a): Cloze tests

A cloze test is a passage with words missing (generally 10) and you have to put the correct word in the correct gap. In a cloze test you have to fill in blanks in a letter.

The cloze test exercise always begins: 'Complétez la lettre ci-dessous en écrivant les mots suivants dans les espaces appropriés. N.B. Cette liste n'est pas dans l'ordre.'
This sentence means: 'Complete the letter below by writing the following words in the correct spaces. N.B. This list is not in order.'

In other words, the missing words are provided for you and you must decide which one goes where. It is very important that you use only the words provided in the list and that you use each word only once. **Take care also to copy the word correctly into the blank. You are given three marks for each correct word (10 × 3 = 30).**

Read through the list of words first, trying to understand each one, then read through the letter to try and understand it, *paying particular attention to the words that come before and after the blanks.* **Grammar** is important for this exercise, so make sure to revise your grammar in the grammar section in this book, paying particular attention to articles, adjectives and pronouns. You have been given all the necessary words, so if you are not sure it is always worth making a guess. **Never leave a blank.**

1. Try to identify where a **verb** may be needed and what **tense** it should be in. Pay particular attention to missing past participles, e.g. 'je suis **allé**'.

2. Watch out for verbs that do not have a **personal pronoun** before them, e.g. the 'je, tu, il', etc. is missing.

3. Watch out for **reflexive verbs** that will need a 'me, te, se/s', nous' or 'vous' before them. Some common reflexive verbs are 'se coucher' (*to go to bed*), 's'habiller' (*to dress oneself*), 'se lever' (*to get oneself up*), 'se laver' (*to wash oneself*), 'se réveiller' (*to wake up*), 'se souvenir de' (*to remember*).

4. Watch out for **negatives**. In French, a negative is always composed of **two parts**, usually 'ne' and 'pas' or perhaps 'ne' and 'jamais', 'plus', 'rien' or 'personne'.

5. Be careful what **preposition** to put before place names. Remember:

   'à' + name of city, village or town, e.g. 'à Dublin', 'à Paris'.

   'en' + feminine country, e.g. 'en Irlande', 'en France'.

'au' + masculine country, e.g. 'au Canada', 'au Japon'.

'aux' + plural, e.g. 'aux États-Unis', 'aux Pays-Bas'.

'dans' + enclosure, e.g. 'dans la maison'.

6 Be very careful to **make adjectives agree** with the nouns they are describing. If the noun is masculine singular, the adjective must also be masculine singular; if the noun is feminine plural, the adjective must also be feminine plural.

7 If the missing word is 'le', 'la' or 'les', make sure that the noun coming after the gap **matches the gender** of what you put in, e.g. '____ maison'. Here, you would have to put in 'la' as the word 'maison' (*house*) is feminine singular.

8 With **possessive adjectives**, e.g. 'mon', 'ma', 'mes' and **demonstrative adjectives** 'ce', 'cet', 'cette', 'ces', again be sure that they agree with the noun that they are describing.

9 **Quantities** will always be **followed by 'de'**, e.g. 'beaucoup de', 'trop de', 'un kilo de'.

10 Make sure you **only use the words given in the list** and take care to copy them correctly. If the word is **misspelt** you will not get the 3 marks.

Now test yourself. Put the correct word in the blank space.

	jouer	une	de	nous	fait
pas	en		au	suis	ta

1. J'habite … Angleterre.
2. Nous avons … grande maison.
3. Je voudrais deux litres … lait.
4. Je … allé à la piscine.
5. Nous … levons à sept heures d'habitude.
6. Il n'aime … le football.
7. J'espère que … mère et ton père vont bien.
8. Il … assez beau aujourd'hui.
9. Je vais aller … cinéma.
10. J'adore … au tennis.

Past exam questions

Solutions to these exercises can be found in Section 6.

Cloze test 1

Complétez la lettre ci-dessous en écrivant les mots suivants dans les espaces appropriés. (N.B. Cette liste n'est pas dans l'ordre.)

pas, de, sont, rouge, en, demi, heures, mixte, à, porter

An Uaimh/Navan, le 3 mars

Cher Jean-Luc,

Merci de ta lettre que j'ai reçue hier. Tu m'as demandé de décrire un peu mon école. Eh bien, je vais à un lycée .... d'environ cinq cents élèves.

Nous devons .... un uniforme gris, c'est-à-dire un pull et un pantalon gris avec une chemise bleue et une cravate .... Les filles ont le droit de porter une jupe grise si elles le veulent. L'avantage de l'uniforme c'est qu'il n'y a .... de concurrence entre les élèves. Est-ce vrai qu'on ne porte pas d'uniforme .... France ?

Ici, l'école commence à neuf .... du matin. Il y a une récréation de dix minutes .... onze heures. À midi et .... on a la pause déjeuner et les cours finissent à quatre heures. Nous avons beaucoup .... devoirs à faire le soir. Quelle vie !

Les profs sont assez sympas. Ils nous aident toujours. Comment .... les profs dans ton école ?

Dans ta prochaine lettre, parle-moi un peu de ton système scolaire.

Amitiés,

Aidan

Cloze test 2

Complétez la lettre ci-dessous en écrivant les mots suivants dans les espaces appropriés.
(N.B. Cette liste n'est pas dans l'ordre.)

en, que, cherche, touristes, camping, font, lettre, belle, depuis, ma

---

Galway, le 5 avril

Cher Didier,

J'ai été très heureux de recevoir ta . . . . parce que ça fait longtemps que je . . . . un correspondant français.

Moi j'ai dix-sept ans et j'apprends le français . . . . cinq ans. J'aime beaucoup les langues et je voudrais voyager . . . . Europe. J'ai déjà fait du . . . . en Bretagne avec ma famille, et ça m'a plu énormément.

Galway est une . . . . ville avec une cathédrale célèbre. C'est une ville très animée avec beaucoup de . . . . , surtout en été.

Tous les samedis je vais pêcher avec mon frère qui a deux ans de plus . . . . . . moi. Mon père est professeur et . . . . mère femme au foyer. Que . . . . tes parents dans la vie ?

À bientôt le plaisir de te lire.

Amitiés,

David

Cloze test 3

Complétez la lettre ci-dessous en écrivant les mots suivants dans les espaces appropriés. (N.B. Cette liste n'est pas dans l'ordre.)

tennis, différentes, séjour, moi, pas, vite, couches, ta, manger, ferai

Nantes, le 10 juin

Cher Colm,

Je suis très heureux que tu acceptes mon invitation à venir passer trois semaines chez ...... cet été. Je te promets que je ...... de mon mieux pour rendre ton ...... aussi agréable que possible.

Dans ...... prochaine lettre dis-moi à quelle date tu comptes arriver s'il te plaît. Dis-moi aussi à quelle heure tu te ...... et à quelle heure tu te lèves généralement. Ma mère s'inquiète parce qu'elle croit que tes habitudes sont peut-être ...... des nôtres.

Elle craint que tu n'aimes ...... les repas français et elle veut savoir ce que tu aimes ...... et boire.

Comme tu sais je ne suis pas très sportif, mais je jouerai bien sûr au ...... avec toi si tu veux. Écris-moi ...... pour me dire ce que tu aimerais faire ici.

Amitiés,

Robert

Section A (b): Form-filling

NOM :	. . . .
PRÉNOM :	. . . .
ADRESSE :	. . . .
	. . . .
DATE DE NAISSANCE :	. . . .
LIEU DE NAISSANCE :	. . . .
PROFESSION :	. . . .

For this question, you have to fill in a form giving details about yourself. The form is usually something like a job application form or an enrolment form for a summer camp.

You will have to give your 'nom' (*surname*), your 'prénom' (*first name*), your 'adresse' (*address*) and your 'date de naissance' (*date of birth*). It is easy to predict what you will be asked, so if you learn the phrases provided below you can score very highly on this question.

The total marks allocated for this exercise are 30.

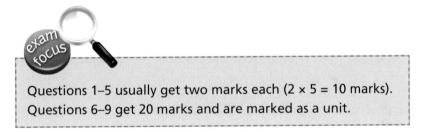

Questions 1–5 usually get two marks each (2 × 5 = 10 marks).
Questions 6–9 get 20 marks and are marked as a unit.

The **first five questions** require a very simple answer and are generally the same every year (surname, first name, age, date of birth, nationality, number of brothers and sisters, number of years studying, etc.) For that reason they are only worth 2 marks, but they are easy marks to score.

Questions 6–9 are marked as a total out of 20. Twelve marks are awarded for communication (3 marks for each question or task) and 8 for language. To score well here you will need to write clear correct French.

Phrases to learn off by heart

lieu de naissance   *place of birth*
établissements scolaires *schools attended*
profession/métier/carrière des parents   *parents' profession*
candidature   *job application*
formation   *training*

la santé   *health*

expérience professionnelle pertinente   *relevant work experience*

dates du séjour   *dates of your stay*

décrivez-vous   *describe yourself*

niveau de français   *level of French*

je suis   *I am*

j'ai   *I have*

je voudrais   *I would like*

c'est   *it is*

il y a   *there is/are*

je serai   *I will be*

J'ai dix-huit ans.   *I am eighteen years old.*

Je suis né(e) le 16 mai 1989.   *I was born on the sixteenth of May, 1989.*

Je suis né(e) à Cork en Irlande.   *I was born in Cork in Ireland.*

Je suis irlandais/irlandaise.   *I am Irish.*

J'ai deux frères et pas de sœur.   *I have two brothers and no sisters.*

Je suis responsable, bosseur (bosseuse) et sociable.   *I am responsible, hard-working and outgoing.*

Mon père est comptable et ma mère travaille à la maison.   *My father is an accountant and my mother works at home.*

J'étudie sept matières au lycée.   *I am studying seven subjects in school.*

J'adore le sport, surtout la natation et l'athlétisme.   *I love sport, especially swimming and athletics.*

Je m'intéresse à la musique et à la lecture.   *I am interested in music and reading.*

J'étudie le français depuis six ans.   *I have been studying French for six years.*

Je vais au lycée à ...   *I go to school in ...*

Je voudrais améliorer ma connaissance de la langue.   *I would like to improve my knowledge of the language.*

Je voudrais perfectionner mon français.   *I would like to improve my French.*

Je parle l'anglais et l'irlandais couramment.   *I speak fluent English and Irish.*

J'ai mon brevet et je vais passer le bac en juin.   *I have my Junior Certificate and I am doing my Leaving Certificate in June.*

J'ai mon permis de conduire.   *I have my driving licence.*

J'ai un diplôme en informatique/communications.   *I have a diploma in Computers/Communications.*

Je voudrais bien passer un séjour en France.   *I would like to spend time in France.*

J'aimerais rencontrer des gens nouveaux.   *I would like to meet new people.*

Mes amis m'ont dit que c'est super.   *My friends told me that it's great.*

J'ai choisi ce collège/cette colonie de vacances parce que ...   *I chose this college/holiday camp because ...*

Je suis en terminale au lycée.   *I am in the sixth form in school.*

Je n'ai pas de besoins médicaux.   *I have no medical requirements.*

Je suis en bonne santé.   *I am in good health.*

J'ai déjà travaillé comme au-pair.   *I have already worked as an au pair.*

Je travaille depuis six mois dans une banque/un magasin/un bureau/une école.   *I have been working for six months in a bank/a shop/an office/a school.*

Je m'intéresse à la mode/à la politique/au sport/aux voyages.   *I am interested in fashion/politics/sport/travelling.*

J'adore les enfants.   *I love children.*

J'ai gardé des enfants et préparé leurs repas.   *I minded the children and prepared their meals.*

J'ai rangé les rayons et travaillé à la caisse.   *I tidied the shelves and worked at the checkout.*

J'ai répondu au téléphone et envoyé des télécopies.   *I answered the phone and sent faxes.*

Le travail d'un/d'une … m'intéresse beaucoup.   *The work of a … really interests me.*

Nous allons visiter les monuments célèbres.   *We are going to visit famous monuments.*

Je suis disponible à partir du …   *I am available from the …*

Now test yourself. Translate these sentences.

1. I have two brothers and one sister.
2. I am eighteen.
3. I am in the sixth form.
4. I love football, swimming and music.
5. I have been learning French for five years.
6. My father is a teacher.
7. I would like to meet new people.
8. I have already worked as a waiter.
9. I am interested in travelling.
10. I have no medical requirements.

Past exam papers

Form 1

Vous vous appelez Patrick/Patricia O'Brien. Vous préparez votre Leaving Certificate et vous voulez un emploi d'été comme vendeur/vendeuse. Remplissez le formulaire suivant :

1. NOM : . . . .
2. PRÉNOM : . . . .
3. DATE DE NAISSANCE : . . . .
4. LIEU DE NAISSANCE : . . . .
5. LANGUE(S) PARLÉE(S) : . . . .
6. POURQUOI VOULEZ-VOUS TRAVAILLER COMME VENDEUR/VENDEUSE ?
. . . .
. . . .
7. EXPÉRIENCE DE CE GENRE DE TRAVAIL : . . . .
. . . .
. . . .
8. ENTRE QUELLES DATES VOULEZ-VOUS TRAVAILLER ? . . . .
. . . .
9. QUELS SONT VOS LOISIRS ? . . . .
. . . .
. . . .

N.B. Répondez à 6, 7, 8 et 9 par des phrases complètes.

Sample answer

Questions 1, 2, 3, 4, 5: **2 marks each = 10 marks.**
Questions 6–9 marked as a unit = **20 marks.**

Questions 1–5: simple correct answers, each receiving 2 marks.

1. NOM : *O'Brien* ← Correct name given as instructed.

2. PRÉNOM : *Patrick*

3. DATE DE NAISSANCE : *le 14 avril 1987* ← Month correctly spelt with lower case letter.

4. LIEU DE NAISSANCE : *Cork*

5. LANGUE(S) PARLÉE(S) : *anglais et français* ← Languages correctly spelt.

6. POURQUOI VOULEZ-VOUS TRAVAILLER COMME VENDEUR/VENDEUSE ?
Le travail d'un vendeur m'intéresse beaucoup parce que j'aime bien rencontrer des gens nouveaux.

Passé composé used.

7. EXPÉRIENCE DE CE GENRE DE TRAVAIL : *L'été dernier j'ai travaillé deux mois comme **vendeur** dans un magasin de sport.*

Questions 6–9: each question answered fully with correct grammar used.

Correct masculine form (*vendeur*).

8. ENTRE QUELLES DATES VOULEZ-VOUS TRAVAILLER ? *Je peux travailler à partir du 20 juin jusqu'au 10 septembre.*

Correct use of expression from one date to the next.

Correct use of phrase *je m'intéresse à*.

Correct prepositions *à la* and *au*.

9. QUELS SONT VOS LOISIRS ? *Je m'intéresse à la lecture et au sport. Je joue au foot et au basket pour l'équipe du lycée.*

Correct use of *jouer à*.

Form 2

Vous vous appelez Noël/Noëlle Ó/Ní Ríordáin/O'Riordan et vous voulez faire un échange avec un(e) jeune Français(e). Remplissez le formulaire suivant :

N.B. Répondez à 6, 7, 8 et 9 par des phrases complètes.

1. NOM : . . . .
2. PRÉNOM : . . . .
3. DATE DE NAISSANCE : . . . .
4. NOMBRE D'ANNÉES D'ÉTUDE DU FRANÇAIS : . . . .
5. QUEL MOIS PRÉFÉREZ-VOUS POUR L'ÉCHANGE ? . . . .
6. DÉCRIVEZ UN PEU VOTRE FAMILLE : . . . .
. . . .
7. QUELS SONT VOS PASSE-TEMPS PRÉFÉRÉS ? . . . .
. . . .
8. POURQUOI VOULEZ-VOUS FAIRE CET ÉCHANGE ? . . . .
. . . .
9. COMMENT IREZ-VOUS EN FRANCE ? . . . .
. . . .

Sample answer

Questions 1, 2, 3, 4, 5: **2 marks each = 10 marks.**
Questions 6–9 marked as a unit = **20 marks.**

1. NOM : *Ní Ríordáin*
2. PRÉNOM : *Noëlle*
3. DATE DE NAISSANCE : *le 3 juin 1989*
4. NOMBRE D'ANNÉES D'ÉTUDE DU FRANÇAIS : *cinq ans*
5. QUEL MOIS PRÉFÉREZ-VOUS POUR L'ÉCHANGE ? *le mois de juin*
6. DÉCRIVEZ UN PEU VOTRE FAMILLE : *J'ai deux frères et pas de sœur. Mes frères ont treize ans et seize ans. Mon père est professeur et ma mère travaille à la maison.*
7. QUELS SONT VOS PASSE-TEMPS PRÉFÉRÉS ? *Mes passe-temps préférés sont le sport et la lecture. J'aime surtout la natation.*
8. POURQUOI VOULEZ-VOUS FAIRE CET ÉCHANGE ? *Je veux faire cet échange parce que je voudrais bien passer un séjour en France et perfectionner mon français.*
9. COMMENT IREZ-VOUS EN FRANCE ? *J'irai en France en avion.*

Form 3

Vous vous appelez Micheál/Michelle Mac/Nic Gearailt/Fitzgerald et vous voulez faire un stage d'été à l'école de langues Euroécole de Rennes. Remplissez le formulaire suivant.

N.B. Répondez à 6, 7, 8 et 9 par des phrases complètes.

1. NOM : . . . .
2. PRÉNOM : . . . .
3. LIEU DE NAISSANCE : . . . .
4. ÂGE : . . . .
5. SEXE : . . . .
6. POURQUOI VOULEZ-VOUS FAIRE CE STAGE ? . . . .
. . . .
7. QUELLES LANGUES PARLEZ-VOUS ? . . . .
. . . .
8. QUELLES SONT VOS MATIÈRES PRÉFÉRÉES AU LYCÉE ? . . . .
. . . .
9. POURQUOI AVEZ-VOUS CHOISI EUROÉCOLE DE RENNES ? . . . .
. . . .

Sample answer

Questions 1, 2, 3, 4, 5: **2 marks each = 10 marks.**
Questions 6–9 marked as a unit = **20 marks.**

1. NOM : *Fitzgerald*
2. PRÉNOM : *Micheál*
3. LIEU DE NAISSANCE : *Dublin*
4. ÂGE : *J'ai dix-sept ans.*
5. SEXE : *masculin*
6. POURQUOI VOULEZ-VOUS FAIRE CE STAGE ? *Je voudrais améliorer mon français et rencontrer des jeunes français.*
7. QUELLES LANGUES PARLEZ-VOUS ? *Je parle couramment l'anglais et l'irlandais et j'étudie le français depuis cinq ans.*
8. QUELLES SONT VOS MATIÈRES PRÉFÉRÉES AU LYCÉE ? *Mes matières préférées au lycée sont l'anglais, l'histoire et le français.*
9. POURQUOI AVEZ-VOUS CHOISI EUROÉCOLE DE RENNES ? *J'ai choisi Euroécole de Rennes parce que mon prof m'a dit que c'est super et je voudrais améliorer mon français oral.*

Section B (a): Messages

There are **30 marks** given for the message or the postcard (**15 for communication and 15 for language**). There are normally **three points to be made**, each with equal marks.

Each point requires **two or three sentences** in clear, correct French to gain maximum marks.

> **exam focus**
>
> If you only make two of these points then you will be marked out of 20, i.e. you will automatically lose 10 marks.

There are no marks awarded for layout.

Pay particular attention to the **tenses** you use and don't forget to **sign off** at the end.

The sample answers will give you an idea of how much you need to write to score full marks for the message or postcard.

> *Hélène,*
> *Pendant que vous étiez en ville Jean a téléphoné. Il est désolé mais il ne peut pas vous rencontrer demain. Il rappellera ce soir.*
> *À bientôt,*
> *Delphine*

Phrases to learn off by heart

Juste un petit mot pour te dire que ...   *Just a little note to let you know that ...*

Je suis parti(e) en ville/au cinéma/à la piscine.   *I have gone to town/to the cinema/to the pool.*

Je suis passé(e) chez toi.   *I called at your house.*

Malheureusement, il n'y avait personne.   *Unfortunately, there was nobody there.*

Pendant ton absence.   *During your absence.*

Pendant que vous étiez en ville.   *While you were in town.*

Ton père a téléphoné.   *Your father called.*

Il m'a demandé de te dire que ...   *He asked me to tell you that ...*

Il est désolé mais il est malade.   *He is sorry but he is sick.*

Il ne peut pas te rencontrer demain.   *He cannot meet you tomorrow.*

Il va rappeler demain.   *He will call back tomorrow.*

Vincent m'a téléphoné.   *Vincent called me.*

Marie vient de téléphoner.   *Marie has just called.*

Il/elle veut savoir si ...   *He/she wants to know if ...*

Je serai de retour à ...   *I will be back at ...*

Peux-tu venir me chercher à ... ?   *Can you come and pick me up at ...?*

Je viendrai te chercher à six heures ...   *I will come and pick you up at six.*

Veux-tu venir avec moi/nous ?   *Do you want to come with us?*

Est-ce que je peux emprunter ... ?   *Can I borrow ...?*

Est-ce que tu peux me prêter ... ?   *Could you lend me ...?*

Tu auras besoin d'un/une ...   *You will need a ...*

N'oublie pas ton/ta ...   *Don't forget your ...*

Cet après-midi j'espère aller ...   *This afternoon I hope to go ...*

Je serai en retard.   *I will be late.*

Je dois aller chez le médecin.   *I have to go to the doctor.*

Ton père/ta mère a eu un accident.   *Your father/mother had an accident.*

Ne t'inquiète pas.   *Don't worry.*

Je suis désolé(e) mais ...   *I am sorry but ...*

Je ne peux pas venir.   *I cannot come.*

Nous nous retrouverons devant la piscine.   *We will meet up in front of the swimming pool.*

Marie m'a invité chez elle.   *Marie invited me to her house.*

Je t'envoie ce message par télécopie.   *I am sending you this message by fax.*

Je dois annuler notre rendez-vous.   *I have to cancel our appointment.*

Téléphone-moi ce soir.   *Call me this evening.*

Je vais rejoindre mes amis.   *I'm going to meet up with my friends.*

Je te téléphonerai ce soir.   *I will call you this evening.*

Ne m'attendez pas.   *Don't wait for me.*

À tout à l'heure/à bientôt.   *See you later.*

À demain.   *See you tomorrow.*

Now test yourself. Translate the following phrases.

1. I will call you this evening.
2. Don't wait for me.
3. I will be back at ...
4. Marie has just called.
5. I cannot come.
6. We will meet up in front of the swimming pool.
7. I'm going to meet up with my friends.
8. Do you want to come with us?
9. He will call back tomorrow.
10. I called at your house.

Past exam papers

Message 1

Leave a message for Marc with whom you are staying in Bordeaux. Say that:

- while he was out, his friend Didier called.
- you have gone to the bakery to buy some bread.
- you would like to go to the cinema and to a disco this evening.

Sample answer

> Correct use of masculine *cher*.

> **Main text:** all three points dealt with in clear grammatically correct French.

Cher Marc,

> Good opening phrase.

Juste un petit mot pour te dire que pendant ton absence ton ami Didier a téléphoné. Il va rappeler demain. Moi, je

> Correct use of *passé composé: a téléphoné, suis allé.*

> Correct use of future proche: *va rappeler.*

suis allé à la boulangerie acheter du pain pour le déjeuner.

> Correct use of conditional.

> Good knowledge of basic vocabulary: *boulangerie, pain, déjeuner, cinéma, discothèque.*

Je voudrais aller au cinéma et à la discothèque ce soir.

> Correct use of prepositions: *à + le = au; à + la = à la.*

> Correct agreement of demonstrative ce.

Veux-tu venir avec moi ?

> Question word order is correct.

Paul

Message 2

Leave a message for Louise who is staying with you. Say that:

- you have gone shopping for your mother, who is ill.
- you will be back at midday, for your lunch.
- this afternoon you hope to go to the swimming pool with your friends.

Sample answer

> Chère Louise,
>
> Juste un petit mot pour te dire que je suis allée en ville faire des courses pour ma mère qui est malade. Elle a la grippe. Je serai de retour à midi pour le déjeuner. Cet après-midi j'espère aller à la piscine avec mes amis. Veux-tu venir avec nous ?
>
> Marie

Message 3

Leave a message for Martine who is staying with you. Say that:

- while she was out, her brother David phoned.
- he will ring back tomorrow at 5 p.m.
- he is going to bed early because he is working tomorrow.

Sample answer

> Chère Martine,
>
> Juste un petit mot pour te dire que pendant que tu étais en ville, ton frère, David, a téléphoné. Il va rappeler demain à dix-sept heures. Il va se coucher tôt ce soir parce qu'il doit travailler demain matin. J'espère que tu t'es bien amusée en ville.
>
> Marie

Section B (b): Postcards

Remember that the same marking scheme applies for the postcard as with messages: **30 marks are given** (**15 for communication and 15 for language**).

There are normally **three points** to be made, each with equal marks. If you study the phrases below, you should be able to score well in this section.

Phrases to learn off by heart

Me voici à (town/city). *Here I am in ...*
Je suis en vacances avec mes amis. *I'm on holiday with my friends.*
Je suis en vacances au bord de la mer. *I am on holiday by the sea.*
Je m'amuse bien. *I'm having a good time.*
Comment vas-tu ? *How are you?*
Quel temps ! *What weather!*
Le soleil brille tous les jours. *The sun is shining every day.*
Il n'a pas arrêté de pleuvoir depuis mon arrivée. *It hasn't stopped raining since I arrived.*
La nourriture est délicieuse/horrible. *The food is delicious/horrible.*
Je suis arrivé(e) ici samedi dernier. *I arrived here last Saturday.*
Je suis arrivé(e) ici sain et sauf. *I arrived here safe and sound.*
Nous restons dans un hôtel/une auberge de jeunesse. *We are staying in a hotel/youth hostel.*
La plage est superbe. *The beach is superb.*

J'ai joué au foot et au tennis.   *I played football and tennis.*

J'apprends à faire de la voile.   *I'm learning to sail.*

J'ai rencontré des jeunes très sympas.   *I met some very nice young people.*

Je cherche à parler français mais ce n'est pas facile.   *I am trying to speak French but it's not easy.*

J'adore la nourriture française.   *I love French food.*

Je me bronze au soleil.   *I sunbathe.*

Nous visitons la région.   *We are visiting the area.*

Je sors tous les soirs.   *I go out every night.*

Nous allons visiter la Tour Eiffel.   *We are going to visit the Eiffel Tower.*

Chaque soir nous mangeons au restaurant.   *Every evening we eat in a restaurant.*

J'irai en ville demain acheter des souvenirs.   *I will go to town tomorrow to buy souvenirs.*

Je ferai une promenade à vélo.   *I will go for a cycle ride.*

La semaine prochaine j'espère aller/faire ...   *Next week I hope to go/to do ...*

Je serai de retour la semaine prochaine.   *I will be back next week.*

Je suis très bronzé(e).   *I am very tanned.*

C'est magnifique/super/génial.   *It's magnificent/super/great.*

Amuse-toi bien en vacances.   *Have a good time on your holidays.*

Écris-moi bientôt.   *Write to me soon.*

Amitiés.   *Best wishes.*

Now test yourself. Translate the following phrases.

1. Here I am in Galway.
2. The sun is shining every day.
3. I arrived here last Tuesday.
4. I will be back next week.
5. I met some very nice young people.
6. I go out every night.
7. We are staying at a campsite.
8. I'm learning to swim.
9. I will go to town tomorrow to buy souvenirs.
10. Have a good time on your holidays.

Past exam papers

Postcard 1

You are on holiday in France. Write a postcard to your penfriend Claire in which you say that:

- you are on holiday in France with your family.
- the countryside is beautiful and the people are friendly.
- you hope to visit Paris before going home.

Sample answer

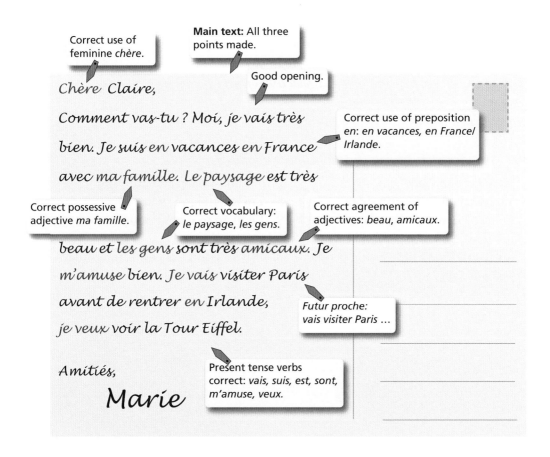

Correct use of feminine *chère*.

Main text: All three points made.

Good opening.

Correct use of preposition *en*: *en vacances, en France/Irlande.*

Correct possessive adjective *ma famille*.

Correct vocabulary: *le paysage, les gens.*

Correct agreement of adjectives: *beau, amicaux.*

Futur proche: *vais visiter Paris …*

Present tense verbs correct: *vais, suis, est, sont, m'amuse, veux.*

Chère Claire,

Comment vas-tu ? Moi, je vais très bien. Je suis en vacances en France avec ma famille. Le paysage est très beau et les gens sont très amicaux. Je m'amuse bien. Je vais visiter Paris avant de rentrer en Irlande, je veux voir la Tour Eiffel.

Amitiés,
Marie

Postcard 2

Write a postcard to your penpal Xavier in which you say that:

- you are very busy at the moment because you are doing your exams.
- yesterday you had the maths exam and it was difficult.
- next week you hope to go on holidays with your family.

Sample answer

Cher Xavier,
Comment vas-tu ? Moi, je suis très occupé
en ce moment à cause de mes examens.
Hier j'ai passé l'examen de maths et
c'était très difficile. La semaine
prochaine j'espère aller en vacances avec
ma famille. Nous allons rester dans un
hôtel au bord de la mer. Ça sera super.
             Amitiés,
                   Marc

Postcard 3

You are on holiday in the country. Write a postcard to your friend in which you say that:

- you arrived safely on Friday evening.
- you are staying in a youth hostel and the food is very good.
- you plan to go for a long walk tomorrow because the weather is fine.

Sample answer

Cher Paul,
Me voici en vacances à la campagne. Je suis arrivé
sain et sauf vendredi soir. Je suis dans une auberge de
jeunesse et la nourriture est très bonne. Hier j'ai
mangé du poulet rôti avec des frites. Demain j'espère
faire une longue promenade parce qu'il fait très beau.
Je serai de retour la semaine prochaine.
             Amitiés,
                   Marc

Section C (a): Diary entries (Le journal intime)

'Le journal intime' means a diary entry. You are given a situation or a topic and you then write down your feelings about that day. Here are examples from past papers:

2010 – returning to school after the summer holidays
2009 – finishing your Leaving Cert and how it went
2008 – a shopping trip in Dublin
2007 – an argument with your parents about going out
2006 – a school trip to Paris
2005 – an evening at home on your own
2004 – a trip to a pop concert in Dublin
2003 – your last day at secondary school
2002 – a day in the country visiting your grandparents
2001 – a trip to the cinema
2000 – a difficult day in school
1999 – illness over the past few days
1998 – a really enjoyable weekend
1997 – the middle of your Leaving Cert exams

Be very careful to follow the instructions given and to cover all of the necessary points. The diary is awarded **30 marks (15 for communication and 15 for language)**.

You are expected to write about 80 words. If you are talking about what has happened to you over the past week or past few days then a sentence or two is enough for each day.

The French you use will be **informal** as if you were writing to a good friend.

exam focus

There are usually **three points with 5 marks each. No marks** are awarded for layout.

Phrases to learn off by heart

Cher Journal   *Dear Diary*

Je viens de passer une journée chouette/triste/horrible.   *I have just spent a great/sad/horrible day.*

Le jour s'est bien passé.   *The day went well.*

Que je suis déprimé(e)/fatigué(e)/content(e).   *Oh, how depressed/tired/happy I am.*

Que je me sens seul(e).   *I feel so alone.*

Quelle journée !   *What a day!*

Quel désastre/succès/dommage !   *What a disaster/success/pity!*

Ce que je déteste le plus c'est ...   *What I hate most is ...*

C'était super/magnifique/extraordinaire.   *It was super/magnificent/extraordinary.*

Quel bel endroit !   *What a lovely place!*

Je me suis très bien amusé(e).   *I had a great time.*

Il a fait un temps superbe/affreux.   *The weather was beautiful/awful.*

Vivement les vacances !   *Roll on the holidays!*

J'ai rencontré un garcon/une fille très sympa.   *I met a very nice boy/girl.*

Il est si beau/elle est si belle.   *He/she is so good-looking.*

Nous nous entendons très bien.   *We get on very well.*

J'avais peine à le/la/les croire.   *I could hardly believe it/them.*

J'en ai assez de ...   *I have had enough of ...*

J'avais peur de ...   *I was afraid of ...*

Rien ne marche en ce moment.   *Nothing is going right at the moment.*

Je fais de mon mieux.   *I'm doing my best.*

tant mieux   *just as well*

Que c'est embêtant !   *How annoying it is!*

Je viens de ...   *I have just ...*

J'ai horreur des examens.   *I hate exams.*

tout d'abord   *first of all*

Voilà, c'est tout pour aujourd'hui.   *Right, that's all for today.*

J'espère que les choses iront mieux demain.   *I hope things go better tomorrow.*

Je me couche.   *I'm off to bed.*

Demain il fera jour.   *Tomorrow is another day.*

Now test yourself. Translate the following phrases.

1. We get on very well.
2. I'm doing my best.
3. Right, that's all for today.
4. I met a very nice boy.
5. I have just spent a horrible day.
6. I have had enough of my parents.
7. I had a great time at the beach.
8. What I hate most is the food.
9. Oh, how tired I am.
10. I'm off to bed.

Past exam papers

Diary 1

You have just returned home after your last day at school. Note the following in your diary.

- You were sad to say goodbye to your friends.
- You were glad you took some nice photos.
- You hope that the Leaving Cert will not be too difficult.

Sample answer

> **Main text:** all three points have been dealt with in clear correct French.

Cher Journal,

Je viens de passer une journée difficile, mon dernier jour à l'école

> Good opening phrase

secondaire. J'étais très triste de dire au revoir à mes amis mais je

> Imparfait: *étais*.

> Correct possessive plural: *mes*.

suis contente parce que j'ai pris de belles photos. Je vais garder de

> Passé composé: *ai pris*.

bons souvenirs de tout le monde. Le Leaving Cert commence dans

une semaine et j'espère que les examens ne seront pas trop difficiles.

> Present tense verbs all correct: *suis, commence, espère*.

> Negative: *ne … pas*.

> Future: *seront*.

Je vais me coucher maintenant parce que j'ai beaucoup de révisions

à faire demain.

> Futur proche: *vais me coucher, vais garder*.

> Good finishing phrase.

Marie

Diary 2

You have just returned from a day in the country. Note the following in your diary.

- You went to the country to visit your grandparents.
- The weather was fine and you enjoyed yourself very much.
- The journey took three hours and you are very tired.

Sample answer

> Cher Journal,
>
> Je viens de passer une journée chouette. Je suis allée rendre visite à mes grands-parents à Galway. Ils habitent à la campagne dans un petit village qui s'appelle Bearna. Ils étaient très contents de me voir. Il a fait très beau, pas une goutte de pluie. J'ai fait une longue promenade avec ma grand-mère et nous avons beaucoup parlé. Je me suis très bien amusée. Malheureusement, le voyage a pris trois heures et je suis très fatiguée. Je dois aller me coucher.
>
> Marie

Diary 3

You have just returned from a trip to the cinema. Note the following in your diary.

- Say you have been to the cinema and with whom.
- Say what film you saw and what you thought of it.
- Say where you went afterwards and what time you came home.

Sample answer

> Cher Journal,
>
> Je viens de passer une soirée super. Je suis allée au cinéma avec Paul. Nous avons vu un film policier avec Pierce Brosnan. Ce n'était pas mal, mais je préfère les films comiques. Après, nous sommes allés au café pour rencontrer son frère David qui est très sympa. Nous avons bavardé pendant une heure et je suis rentrée chez moi à onze heures. Maman était un peu fâchée mais moi, je me suis très bien amusée.
>
> Marie

Section C (b): Formal letters

Layout of formal letter

1. The sender's address is written at the top left-hand side.
2. The name of the town and the date are written after the sender's address, one line lower and on the right-hand side. Include the year in the date.
3. The receiver's address is written at the right-hand side below the date.
4. Always use 'vous' when writing a formal letter.

Example:

Mary O'Farrell,
14 St John's Road,
Sandymount,
Dublin 4,
Irlande

Dublin, le 4 mai 2011

M. Jean Dupont,
125 rue Marot,
75279 Paris
France

Beginning: Monsieur,

OR

Madame,

...

Ending: Veuillez agréer, Monsieur (*or*) Madame, l'expression de mes sentiments distingués.

Signature

The remaining 24 marks are divided into **12 for communication and 12 for language**. This generally breaks down into **three tasks at 4 marks each**.

The formal letters are usually reservations at campsites or hotels, job applications or requests for information. If you use the correct layout and learn the following phrases you can get good marks in this section.

Phrases to learn off by heart

Making a reservation

Je vous écris de la part de ma famille.   *I am writing to you on behalf of my family.*
Nous voudrions rester dans votre hôtel.   *We would like to stay in your hotel.*
J'ai l'intention de passer quinze jours au camping à ...   *I intend spending a fortnight in the campsite in ...*
Je voudrais retenir une chambre avec douche/avec salle de bains.   *I would like to book a room with a shower/with a bathroom.*
Avez-vous un emplacement de libre pour une caravane ?   *Do you have a site free for a caravan?*
Nous avons l'intention de ...   *We intend to ...*
Je voudrais rester en demi-pension.   *I would like to stay half-board.*
Nous arriverons le six juin à midi.   *We will arrive on the sixth of June at midday.*
du six au seize juin   *from the sixth to the sixteenth of June*
Est-ce qu'il y a une piscine dans l'hôtel ?   *Is there a pool in the hotel?*
Veuillez nous indiquer le tarif de ce séjour.   *Please let us know the price of the stay.*
Y a-t-il des aménagements pour les enfants ?   *Are there facilities for children?*
Je vous scrais très reconnaissant(e) de bien vouloir ...   *I would be much obliged if you could ...*

Job Applications

CURRICULUM VITAE
Nom : ....
Prénom : ....
Adresse : ....
....
Âge : ....
Sexe : ....
Profession : ....
....

J'ai lu dans les petites annonces que vous cherchez ...   *I read in the small ads that you are looking for ...*

Je voudrais poser ma candidature au poste de ...   *I would like to apply for the job of ...*

Je suis très intéressé(e) par ce poste.   *I am very interested in this job.*

J'aimerais beaucoup travailler avec des enfants.   *I would really like to work with children.*

Je voudrais améliorer mon français.   *I would like to improve my French.*

Veuillez trouver ci-joint mon CV.   *Please find enclosed my CV.*

une lettre de recommandation de mon employeur   *a letter of recommendation from my employer*

Je vous envoie une copie de mon diplôme.   *I am sending you a copy of my diploma.*

Je me crois bien qualifié(e) pour ce poste.   *I think I am well qualified for this job.*

J'ai de l'expérience pour ce genre de travail.   *I have experience in this type of work.*

Je viens de terminer mes études secondaires.   *I have just finished my secondary education.*

J'attends confirmation de votre part.   *I am awaiting confirmation on your part.*

J'attends votre réponse avec impatience.   *I look forward to hearing from you.*

Ça coûte combien par personne/par nuit ?   *How much does it cost per person/per night?*

J'ai le regret de vous informer que je ne pourrai pas arriver le six.   *I regret to inform you that I cannot arrive on the sixth.*

Je serai disponible à partir du ...   *I will be available from the ...*

Je cherche un emploi en ...   *I am looking for a job in ...*

Pourriez-vous m'indiquer le montant du salaire ?   *Could you let me know the salary?*

Quelles sont les heures de travail ?   *What are the working hours?*

N'hésitez pas à me contacter.   *Don't hesitate to contact me.*

Dans l'attente d'une réponse favorable.   *Hoping for a favourable reply.*

Espérant que vous prendrez ma demande en considération.   *Hoping that you will consider my application.*

Requesting Information/Complaining

Veuillez m'envoyer des renseignements/
     brochures.   *Please send me
     information/brochures.*

des dépliants sur la région et un plan de la
     ville   *brochures on the region and a map
     of the town*

Veuillez me faire savoir si ...   *Please let me
     know if ...*

J'aimerais savoir également ...   *I would also
     like to know ...*

Quels sont les jours de marché ?   *What
     days is the market on?*

Quelles sont les possibilités de loisirs dans la
     région ?   *What are the leisure
     amenities in the area?*

Quelles sont les spécialités du pays ?   *What are the regional specialities?*

une enveloppe timbrée à mon adresse   *a stamped addressed envelope*

Où se trouve la gare ?   *Where is the train station situated?*

J'ai le regret de vous informer que ...   *I regret to inform you that ...*

Je ne suis pas du tout satisfait(e) de ...   *I am not at all satisfied with ...*

Le service n'était pas très bon.   *The service wasn't very good.*

Je vous le/la renvoie dans l'espoir que vous pourrez le/la remplacer.   *I am returning it to
     you in the hope that you will be able to replace it.*

Je viens de passer une semaine dans votre auberge de jeunesse.   *I have just spent a week
     in your youth hostel.*

Malheureusement, j'ai laissé ma veste sur le lit.   *Unfortunately, I left my coat on the bed.*

Pourriez-vous faire les recherches nécessaires ?   *Could you please make the necessary
     enquiries?*

Now test yourself. Translate the following phrases.

1. I intend to spend a fortnight at the
   campsite in Biarritz.
2. I would like to book a room with a
   double bed and a bathroom.
3. Please let us know the price of the stay.
4. I would like to apply for the job of
   waiter in your hotel.
5. I have experience of this type of work.

6. Could you let me know the salary?
7. Please find enclosed my CV.
8. Please send me some information
   and a map of the town.
9. I would also like to know what days
   the market is on.
10. I am not at all satisfied with the
    service in your hotel.

Past exam papers

Formal letter 1

Write a formal letter to:
Monsieur le Gérant, Hôtel Clément,
21 boulevard Georges Pompidou,
42000 Saint-Étienne. In the letter:

MARKING SCHEME FOR FORMAL LETTERS
Layout of top of page = 3 marks.
Closing formula = 3 marks.
Communication = 12 marks (3 tasks with 4 marks each).
Language = 12 marks.

- say that you are going to France, with some friends, in early July.
- say that you would like to book three rooms for two nights.
- ask if breakfast is included in the price.

You are Seán/Sinéad O'Rourke, The Square, Thurles, Co. Tipperary.

Sample answer

Seán O'Rourke,
The Square,
Thurles,
Co. Tipperary,
Irlande

> Correct layout (3 marks).

Thurles, le 10 juin 2003

Monsieur le Gérant,
Hôtel Clément,
21 boulevard Georges Pompidou,
42000 Saint-Étienne,
France

Monsieur,

> Good opening.

J'ai l'intention d'aller en France avec des amis au début de mois de juillet. Je voudrais réserver trois chambres à deux lits pour deux nuits dans votre hôtel. Nous arriverons le quatre juillet et repartirons le six juillet.

> Correct use of conditional tense: *voudrais, serais.*

> Future tense verbs correct: *arriverons, repartirons.*

> Correct formal register: *vous.*

Je vous serais très reconnaissant de bien vouloir confirmer cette réservation et de m'indiquer vos tarifs. Veuillez aussi me faire savoir si le petit déjeuner est compris.

> Correct use of *de.*

> Correct formal phrase for: I would be much obliged if/please let me know if.

> All three points addressed.

Je vous prie d'agréer, Monsieur, l'expression de mes sentiments distingués.

Seán O'Rourke

> Correct signing off (3 marks).

Formal letter 2

Write a formal letter to: Monsieur le Gérant, Hôtel St Georges, 5 rue Auger, 63000 Clermont-Ferrand. In the letter:

- say that you would like to work in his hotel next summer.
- say that you have experience of hotel work and you speak French well.
- say that you will be available from 20th June until the end of August.

You are Patrick/Patricia McEvoy, O'Connell Street, Sligo.

Sample answer

Patricia McEvoy,
O'Connell Street,
Sligo,
Irlande

Sligo, le 11 juin 2002

Monsieur le Gérant,
Hôtel St Georges,
5 rue Auger,
63000 Clermont-Ferrand,
France

Monsieur,

J'aimerais travailler dans votre hôtel l'été prochain. J'ai déjà beaucoup d'expérience pour ce genre de travail et je parle bien le français. Pendant les dernières vacances d'été j'ai travaillé deux mois comme femme de chambre dans un grand hôtel à Dublin. Je serai disponible à partir du vingt juin jusqu'à fin août.

Vous trouverez ci-joint une lettre de recommandation de mon dernier employeur et mon CV.

En espérant que vous prendrez ma demande en considération, je vous prie d'agréer, Monsieur, l'expression de mes sentiments distingués.

Patricia McEvoy

Formal letter 3

Write a formal letter to the Syndicat d'Initiative at 36 rue Pascale, 69000 Lyon. In the letter:

- say that you are going to spend three weeks in Lyon and that you would like some information on the town.
- say that you like cycling and ask if it is possible to rent a bike.
- say that you intend to travel by train and ask where the railway is situated.

You are Kieran/Karen Duffy, Main Street, Ballina, Co. Mayo.

Sample answer

Kieran Duffy,
Main Street,
Ballina,
Co. Mayo,
Irlande

Ballina, le 12 juin 2001

Syndicat d'Initiative,
36 rue Pascale,
69000 Lyon,
France

Monsieur,

J'ai l'intention de passer trois semaines à Lyon cet été au mois de juillet. Pourriez-vous m'envoyer des renseignements sur la région et un plan de la ville ?

Quelles sont les possibilités de loisirs dans la région ? J'aime bien le cyclisme et je voudrais savoir s'il est possible de louer des vélos. Veuillez aussi m'indiquer où se trouve la gare SNCF parce que j'ai l'intention de voyager en train. Vous trouverez ci-joint une enveloppe timbrée à mon adresse.

En vous remerciant d'avance, je vous prie d'agréer, Monsieur, l'expression de mes sentiments distingués.

Kieran Duffy

4 Listening Comprehension (Aural)

Introduction

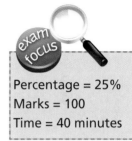
exam focus

Percentage = 25%
Marks = 100
Time = 40 minutes

The **Aural Exam** takes place in **June** immediately after the Written Exam. It lasts about **40 minutes** and is worth a **quarter of your total marks.** You will hear a recording and answer questions on it in English (**no marks will be given for answers in French**).

key point

The recording is divided into **five sections.** The first four segments are usually **interviews and conversations** and are **played three times:** first right through, then in segments with pauses, and finally right through again.

The recording is the same one used for the Honours paper, but the questions are easier with many of them being multiple choice.

The final section usually consists of short **radio news** items and each item is played **twice**.

Listening comprehension is a skill that takes **practice** if you want to score highly. Take time to listen to the news on French radio and television, watch French films (most of them are subtitled) and practise as much as possible on past papers and the CDs that accompany listening comprehension books.

1   The first thing you should do when you get the **blue** Ordinary Level paper is to **read the instructions and the questions carefully**. You will have 5 minutes to do this.

2   Concentrate on the exam and **note how many times each section will be played and where the pauses will be.**

3   **Underline the important words** so that you are sure you know what is being asked, e.g. Who? How many? Where?

4   During the first playing don't write down anything, just **listen.**

5   Don't try to understand everything – focus on what is being asked.

6   Write down your answers during the second playing because this playing is broken into segments and the **pauses will give you an indication of where the answer is.**

7   **During the third playing, check your answers.** Remember: in section 5 there will be only two playings.

8   **Never leave a blank** on the exam paper. Many of the questions at Ordinary Level are MCQs (multiple-choice questions) so remember, you always have at least a 25 per cent chance of being correct and often an even higher chance if you use your common sense.

9   With MCQs make sure you only put **one letter** in the box provided. You will get no marks if you put down two letters, even if one is correct. If you make a mistake, cross it out completely and write your new answer clearly beside it.

10   Make sure that you **write legibly**. Many of the questions will only require one or two words as an answer.

Vocabulary

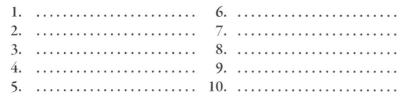

There is some vocabulary you must be familiar with before the Aural Exam. Revise the basic vocabulary from section 1, such as days, months, numbers, colours, weather and the time.

Now test yourself. Listen to the following ten phrases and translate them.

 Track 8

1. ....
2. ....
3. ....
4. ....
5. ....

6. ....
7. ....
8. ....
9. ....
10. ....

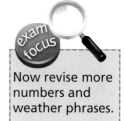

Now revise more numbers and weather phrases.

Les numéros et les quantités (Numbers and Quantities)

cent *100*
deux cent vingt *220*
quatre mille *4,000*
un million *1,000,000*
un quart *a quarter*
un tiers *one-third*
un demi/une moitié *a half*

trois-quarts *three-quarters*
premier/première *first*
deuxième *second*
troisième *third*
un peu *a little*
une douzaine *a dozen*
quelques *a few*

une centaine *about a hundred*
beaucoup de *lots of*
pour cent *per cent*
une fois *once*
deux fois *twice*

La météo (Weather)

Il fera beau. *It will be nice weather.*
Il fera mauvais. *It will be bad weather.*
Il fera chaud. *It will be hot.*
Il pleuvra. *It will rain.*
Il gèlera. *It will freeze.*
Il y aura de la neige. *It will snow.*
Il y aura du soleil. *It will be sunny.*
Il y aura du vent. *It will be windy.*
Il y aura des nuages. *It will be cloudy.*
Il y aura du brouillard. *It will be foggy.*
Le ciel sera couvert. *It will be overcast.*
mauvais temps *bad weather*
beau temps *good weather*

un orage *a storm*
des éclaircies *clear spells*
du verglas *black ice*
du tonnerre *thunder*
des averses *showers*
un éclair *lightning*
ensoleillé *sunny*
pluvieux *rainy*
nuageux *cloudy*
brumeux *misty*
nord *north*
sud *south*
est *east*

ouest *west*	pas un nuage *not a cloud*
le Midi *the south of France*	Le vent sera faible. *The wind will be light.*
on prévoit *we forecast*	Le vent sera fort. *The wind will be strong.*

dans le centre du pays *in the centre of the country*
température minimale *minimum temperature*
Les températures ne dépasseront pas ... *Temperatures won't go beyond ...*
en moyenne *on average*

Now test yourself. Listen to the following ten phrases and translate them.

Track 9

1. ....   6. ....
2. ....   7. ....
3. ....   8. ....
4. ....   9. ....
5. ....   10. ....

It is also essential to revise more difficult vocabulary relating to accidents, crimes, careers, advertisements, sport and entertainment.

Les actualités *(News)*

Les personnes (People)

un roi *a king*	un témoin *a witness*
une reine *a queen*	un voyou *a hooligan*
le Premier ministre *the Prime Minister*	un juge *a judge*
le/la Président(e) *the President*	un voleur *a robber/thief*
un chef de parti *a party leader*	une victime *a victim*
un homme/une femme politique *a politician*	les sans-abri *the homeless*
les députés *members of parliament*	les sans-domicile-fixe/les SDF *the homeless*
le maire *the mayor*	les réfugiés *refugees*
un avocat *a lawyer*	les pauvres *poor*
	les gens défavorisés *the underprivileged*

La politique (Politics)

une élection *an election*	un état *a state*
une ambassade *an embassy*	un parti *a party*
la loi *the law*	de gauche *left-wing*
le parlement *the parliament*	de droite *right-wing*

Les crimes (Crime)

un vol à main armée *armed robbery*	un cambriolage *a burglary*
une attaque à main armée *a hold-up*	un détournement *a hijacking*

un meurtre *a murder*
un attentat *a murder attempt*
le vandalisme *vandalism*

une agression *an attack*
la délinquance *delinquency*

Les problèmes (Problems)

un incendie *a fire*
un tremblement de terre *an earthquake*
un séisme *an earthquake*
l'échelle de Richter *the Richter scale*
une grève *a strike*
une noyade *a drowning*
un ouragan *a hurricane*
une avalanche *an avalanche*
une inondation *a flood*
une guerre *a war*
une bagarre *a fight*
une émeute *a riot*
une manifestation *a demonstration*
la drogue *drugs*
l'alcool *alcohol*
le Tiers-Monde *the Third World*
une amende *a fine*
la punition *punishment*

à perpétuité *for life*
les dégâts *damage*
le naufrage *the shipwreck*
la haine *hatred*
le divorce *divorce*
l'avortement *abortion*
le chômage *unemployment*
le sida *AIDS*
la maladie *sickness/disease*
la Croix Rouge *the Red Cross*
Médecins Sans Frontières *'Doctors
    Without Borders' – a voluntary medical
    organisation*
les essais nucléaires *nuclear tests*
le recyclage *recycling*
l'environnement *environment*
les droits de l'homme *human rights*

Les verbes (Verbs)

accuser de *to charge with*
assassiner *to murder*
cambrioler *to burgle*
condamner *to condemn*
se noyer *to drown*

arrêter *to arrest*
blesser *to injure*
voler *to steal*
s'effondrer *to collapse*
sauver *to save*

Les expressions (Expressions)

pour une raison inconnue *for an unknown cause*
Une enquête est ouverte. *An inquiry has begun.*
Un jeune a trouvé la mort. *A young person died.*
On ignore les causes. *The causes are not known.*
le bilan de la catastrophe *the final toll of the disaster*
selon un sondage *according to a survey*
prendre la fuite *to escape*
des barrages routiers *road blocks*
des renseignements *information*
il/elle portait *he/she was wearing*

Now test yourself. Translate the following vocabulary.

1. a witness
2. the homeless
3. an attack
4. an earthquake
5. a war

6. a fine
7. to drown
8. to steal
9. according to a survey
10. information

Les accidents de la route *(Road accidents)*

Les verbes (Verbs)

conduire *to drive*
blesser *to injure*
tuer *to kill*
échapper *to escape*

s'arrêter *to stop*
renverser *to knock down*
heurter *to crash into*
être blessé *to be injured*

Les moyens de transport (Methods of transport)

un camion *a lorry*
une camionnette *a van*
une voiture/une auto *a car*
un poids lourd *a heavy goods vehicle*
une moto *a motorbike*
un car *a coach*
un autobus *a bus*
un taxi *a taxi*
une remorque *a trailer*
un avion *a plane*
un bateau *a boat*
un train *a train*

Les endroits (Places)

les feux rouges *the traffic lights*
le rond-point *the roundabout*
l'autoroute *the motorway*
le virage *the bend*

le carrefour *the crossroads*
la rue *the road*
le trottoir *the pavement*

Les personnes (People)

le chauffeur *the driver*
le blessé *the injured person*
le gendarme/policier *the policeman*
les pompiers *the fire brigade*

le piéton *the pedestrian*
le routier *the truck driver*
le/la mort(e) *the dead person*

Les expressions (Expressions)

être tué sur le coup *to be killed instantly*
être transporté à l'hôpital *to be taken to hospital*

brûler un feu rouge *to go through a red light*

gravement/grièvement blessé *seriously injured*   mortellement blessé *fatally injured*

cent kilomètres à l'heure *100 km an hour*   à toute vitesse *at full speed*

en état d'ivresse *under the influence of alcohol*   perdre le contrôle *to lose control*

au volant *at the steering wheel*

l'accident s'est produit *the accident happened*

Now test yourself. Translate the following phrases.

1. to drive
2. to kill
3. a heavy goods vehicle
4. the crossroads
5. a pedestrian

6. the fire brigade
7. seriously injured
8. at full speed
9. under the influence of alcohol
10. the accident happened

Le sport *(Sport)*

le Championnat du Monde *the World Championships*

le Championnat d'Europe *the European Championships*

les Jeux Olympiques *the Olympic Games*

le tournoi des Six Nations *the Six Nations tournament*

une médaille d'or *a gold medal*

une médaille d'argent *a silver medal*

L'Irlande a gagné. *Ireland won.*

L'Angleterre a perdu. *England lost.*

gagner par 3 buts à 2 *to win by 3 goals to 2*

s'entraîner *to train*

La finale aura lieu ... *The final will take place ...*

l'Irlande contre la France *Ireland against France*

match nul *a draw*
le maillot jaune *yellow jersey*
une équipe *a team*
le record du monde *the world record*

une prolongation *extra time*
un stade *a stadium*
un titre mondial *a world title*

Les annonces (Advertisements)

des soldes *the sales*
un produit *a product*
il vous suffit de *all you have to do is*
Découvrez ... *Discover ...*
en vente *for sale*
une bonne affaire *a bargain*
Pourquoi hésiter ? *Why hesitate?*
notre nouvelle collection *our new collection*
Les prix sont imbattables. *The prices are unbeatable.*
une collection été/hiver *a summer/winter collection*

une réduction de *a reduction of*
en cadeau/gratuit *free*
disponible *available*
les marques *brands*
un bon conseil *good advice*
prix à partir de *prices start from*
Essayez ... *Try ...*

Les interviews (Interviews)

à mon avis *in my opinion*
je pense *I think*
je me souviens *I remember*
J'ai l'intention de ... *I intend to ...*
Nous parlons avec ... *We are talking to ...*
mon enfance *my childhood*
au contraire *quite the opposite*
Félicitations. *Congratulations.*
Il n'y a rien de mieux. *There is nothing better.*
Je me suis installé en France. *I settled in France.*
Que pensez-vous de ... ? *What do you think of ...?*

de temps en temps *from time to time*
je crois *I believe*
C'est mon rêve. *It is my dream.*
un entretien avec *an interview with*
Racontez-nous ... *Tell us ...*
Ça me rappelle ... *It reminds me of ...*
Ça m'est égal. *It's all the same to me.*
Bonne chance. *Good luck.*

Now test yourself. Translate the following vocabulary.

1. a gold medal
2. Ireland won.
3. a world title
4. the sales
5. Prices are unbeatable.
6. available
7. in my opinion
8. I remember
9. my childhood
10. Good luck.

Le travail (Work)

Les professions (Careers)

un fonctionnaire *a civil servant*	une femme d'affaires *a businesswoman*
un ingénieur *an engineer*	un médecin *a doctor*
un architecte *an architect*	un informaticien *a computer programmer*
un boulanger *a baker*	un ouvrier *a factory worker*
un boucher *a butcher*	un pompier *a fireman*
un coiffeur *a hairdresser*	un dentiste *a dentist*
un plombier *a plumber*	une hôtesse de l'air *an air hostess*
un mécanicien *a mechanic*	un journaliste *a journalist*
un agent de police/gendarme *a policeman*	un vendeur *a salesman*
un soldat *a soldier*	un vétérinaire *a vet*
un fermier/agriculteur *a farmer*	un(e) secrétaire *a secretary*
un marin *a sailor*	un mannequin *a model*
un facteur *a postman*	une institutrice *a primary-school teacher*
un pharmacien *a chemist*	un professeur *a secondary-school teacher*
un gérant *a manager*	un comptable *an accountant*
un commerçant *a shopkeeper*	une infirmière *a nurse*
un homme d'affaires *a businessman*	un avocat *a lawyer*

Les verbes (Verbs)

embaucher *to employ*	travailler *to work*
gagner *to earn*	être licencié *to be fired*
poser sa candidature *to apply*	payer *to pay*
épargner *to save*	emprunter *to borrow*
perdre *to lose*	dépenser *to spend*

Les expressions (Expressions)

la période de pointe *busy period*	l'allocation chômage *unemployment benefit*
travailler à temps partiel *to work part-time*	le taux de chômage *unemployment rate*
être au chômage *to be unemployed*	toucher un chèque *to receive a cheque*
être travailleur indépendant *to be self-employed*	toucher un salaire *to earn a salary*
avoir un petit boulot *to have a part-time job*	la BNP – la Banque Nationale de Paris
la crise économique *the economic crisis*	le compte bancaire *bank account*
la journée de travail *the working day*	le Ministère du Travail *the Department of Labour*
la semaine de 35 heures *the 35-hour working week*	la Bourse *Stock Exchange*
le jour férié *public holiday*	une bourse *a grant*

Now test yourself. Listen and translate the following vocabulary.

1. ....
2. ....
3. ....
4. ....
5. ....

6. ....
7. ....
8. ....
9. ....
10. ....

Track 10

Le divertissement *(Entertainment)*

une émission *a programme*
les informations *the news*
les dessins animés *cartoons*
les feuilletons *soap operas*
les spots publicitaires *advertisements*
un film policier *a thriller*
un film sous-titré *a subtitled film*
un film d'épouvante *a horror*
les petites annonces *small ads*
un film comique *a comedy*
une chanson *a song*
les paroles *the words*

un roman *a novel*
une pièce *a play*
un concert *a concert*
la chaîne *the channel*
l'abonnement *subscription*
le magnétoscope *video recorder*
les médias *the media*
l'ordinateur *computer*
le téléphone mobile/portable *mobile phone*
l'internet *internet*
un lecteur CD *a CD player*
les Césars *French equivalent of the Oscars*

Les personnes (People)

un romancier *a novelist*
un acteur (une actrice) *an actor*
un écrivain *a writer*
les auditeurs *the listeners*
le présentateur (la présentatrice) *the presenter/newsreader*

un chanteur *a singer*
un poète *a poet*
un sportif (une sportive) *a sportsperson*
les spectateurs *the spectators*

Les verbes (Verbs)

écrire *to write*
jouer le rôle de *to play the part of*
enregistrer *to record*
répéter *to rehearse*
regarder *to watch*
être connu *to be known*

dessiner *to draw*
faire du théâtre/cinéma *to act*
écouter *to listen*
diffuser *to broadcast*
être célèbre *to be famous*

Now test yourself. Translate the following vocabulary.

1. **une émission**
2. **les informations**
3. **une chanson**
4. **un film policier**
5. **un ordinateur**

6. **un écrivain**
7. **les auditeurs**
8. **enregistrer**
9. **diffuser**
10. **être célèbre**

Past exam papers

Note: In the exam you will hear each track repeated as specified in the introduction to each section below, but on the accompanying CD each track will play once.

2009

 *Track 11*

Section I

Three French people, Lucie, Raymond and Clara, tell us what they do with their old mobile phones. In the exam you will hear the interview **three times**: first right through, then in **three segments** with pauses, and finally right through again.

1. To whom did Lucie give her old mobile phone?
    - (i) Her sister.   ❏
    - (ii) Her brother.   ❏
    - (iii) Her cousin.   ❏
    - (iv) Her friend.   ❏

2. What does Raymond generally do with his old mobile phones?

3. (i) How many mobile phones has Clara had?
    - (a) Three or four.   ❏
    - (b) Five or six.   ❏
    - (c) Seven or eight.   ❏
    - (d) Nine or ten.   ❏
    (ii) What does Clara do with her old phones now?
    - (a) She keeps them in her office.   ❏
    - (b) She gives them away.   ❏
    - (c) She recycles them.   ❏
    - (d) She puts them in the bin.   ❏

Section II

Track 12

You will now hear an interview with Alain Bernard, an Olympic swimming champion. In the exam you will hear the interview **three times**: first right through, then in **four segments** with pauses, and finally right through again.

1. For how long does Alain train in the pool each day?

2. According to Alain, a lot of French people:
    - (i) got up at night to watch him swim.   ❏
    - (ii) celebrated his victory in the streets.   ❏
    - (iii) criticised the performance of other swimmers.   ❏
    - (iv) were unable to watch him on television.   ❏

3. Because of Alain's fame, people:
    (i) talk to him at the swimming pool. ❏
    (ii) recognise him everywhere. ❏
    (iii) ask him to sign autographs. ❏
    (iv) sell stories to newspapers about him. ❏

4. What does Alain's tattoo symbolise?
    (i) The time he spends in the water. ❏
    (ii) His affection for his girlfriend. ❏
    (iii) The number of medals he has won. ❏
    (iv) His hopes for the future. ❏

Section III   Track 13

You will now hear a conversation between Émilie and her boyfriend, Fabien. In the exam you will hear the conversation **three times**: first right through, then in **three segments** with pauses, and finally right through again.

1. In the café, Émilie remembers putting her handbag:
    (i) on the ground. ❏
    (ii) on the desk. ❏
    (iii) on the chair. ❏
    (iv) on the shelf. ❏

2. (i) When did Émilie get the gold watch?
    (ii) What was she afraid of doing?
        (a) Going to the police station. ❏
        (b) Telling her mother about it. ❏
        (c) Making an insurance claim. ❏
        (d) Accusing someone falsely. ❏

3. What was Colette talking to Émilie about in the café?

Section IV   Track 14

Valérie Guénot won the lottery jackpot seven years ago. In the exam you will hear the account **three times**: first right through, then in **four segments** with pauses, and finally right through again.

1. Where had Valérie gone on the night she won the Lotto?

2. Valérie has donated money to:
   (i) an animal welfare society.   ❐
  (ii) an AIDS charity.   ❐
 (iii) a homeless people's association.   ❐
 (iv) a human rights organisation.   ❐

3. Valérie says she is not extravagant as:
   (i) she doesn't wear expensive jewellery.   ❐
  (ii) she doesn't buy designer clothes.   ❐
 (iii) she prefers to stay in 3-star hotels.   ❐
 (iv) she still drives a small car.   ❐

4. What did Valérie buy recently?
   (i) A pharmacy.   ❐
  (ii) A book store.   ❐
 (iii) A restaurant.   ❐
 (iv) A music shop.   ❐

Section V

In the exam you will hear each of **three** news items **twice**.   ◉ *Track 15*

1. What is the supermarket chain *Carrefour* doing for victims of the recent tornado?
   (i) Replacing damaged furniture.   ❐
  (ii) Organising hampers for the elderly.   ❐
 (iii) Giving school bags to children.   ❐
 (iv) Offering food vouchers for families.   ❐

2. This news item is about: ◉ *Track 16*
   (i) a plane hijack.   ❐
  (ii) a traffic accident.   ❐
 (iii) a shipwreck.   ❐
 (iv) a train strike.   ❐

◉ *Track 17*

3. (i) On what date will this police campaign begin?
  (ii) How will motorists who refuse to use their indicator lights be penalised?
     (a) Two penalty points.   ❐
     (b) A twenty-five euro fine.   ❐
     (c) A formal warning.   ❐
     (d) Two weeks off the road.   ❐

2008

 *Track 18*

Section I

You will now hear an interview with the French actress Sophie Marceau. In the exam you will hear the interview **three times**: first right through, then in **three segments** with pauses, and finally right through again.

1. (i) Sophie's mother was:
    (a) a nurse. ☐
    (b) a housekeeper. ☐
    (c) a shop assistant. ☐
    (d) a teacher. ☐
    (ii) At what age did Sophie move into her own apartment?

2. Sophie says that her parents:
    (i) always used to go to see her films. ☐
    (ii) weren't interested in her career. ☐
    (iii) thought that she worked too hard. ☐
    (iv) were very proud of her success. ☐

3. When speaking about her children, Sophie says:
    (i) she is rarely at home with them. ☐
    (ii) she never sees them. ☐
    (iii) she doesn't spend weekends with them. ☐
    (iv) she goes home every evening. ☐

Section II

Track 19

In the exam you will hear the interview **three times**: first right through, then in **four segments** with pauses, and finally right through again.

1. One aspect of his job which appeals to Philippe Fournet is:
    (i) meeting with other drivers. ☐
    (ii) being always on the move. ☐
    (iii) visiting lots of countries. ☐
    (iv) being well paid. ☐

2. Name **one** fruit mentioned by Philippe.

3. Philippe knows he has arrived in Belgium because of:
    (i) the language. ☐
    (ii) the weather. ☐
    (iii) the road signs. ☐
    (iv) the traffic. ☐

4. Philippe mentions getting lost in large cities. Which European country does he mention?

Section III

Track 20

In the exam you will hear the conversation **three times**: first right through, then in **four segments** with pauses, and finally right through again.

1. Karine and Mathilde decided to go to Ireland because:
   (i) they got cheap flights on the web. ❑
   (ii) Karine wanted to look for a job. ❑
   (iii) Mathilde's brother had gone there. ❑
   (iv) they both liked traditional music. ❑

2. Name one activity which Karine and Mathilde had planned do while in Ireland.

3. Why did Karine become fed up with Mathilde?
   (i) Mathilde was spending too much money. ❑
   (ii) Mathilde wanted to go shopping every day. ❑
   (iii) Mathilde complained all the time. ❑
   (iv) Mathilde wasn't interested in sightseeing. ❑

4. What does Karine say she has done since she returned?

Section IV

Track 21

Three professional rugby players, who left their own countries (Samoa, South Africa and Russia) to join rugby clubs in France, talk about their experiences. In the exam you will hear the account **three times**: first right through, then in **three segments** with pauses, and finally right through again.

1. What was the old lady trying to do at the supermarket?

2. (i) Konrad arrived in France in:
   (a) 1996. ❑
   (b) 1998. ❑
   (c) 2001. ❑
   (d) 2003. ❑
   (ii) According to Konrad:
   (a) he never saw his neighbours. ❑
   (b) he never had time to meet friends. ❑
   (c) he never spoke to anyone in the shops. ❑
   (d) he never ate out in a restaurant. ❑

3. Kyril was particularly surprised that:
   (i) entrance to museums was free. ☐
   (ii) a street market was held every day. ☐
   (iii) shops were closed on Sundays. ☐
   (iv) banks stayed open at lunch time. ☐

Section V

In the exam you will hear each of **three** news items **twice**.   *Track 22*

1. How many copies of her latest album 'Divinidylle' did Vanessa Paradis sell?
   (i) 100,000. ☐
   (ii) 120,000. ☐
   (iii) 160,000. ☐
   (iv) 180,000. ☐

2. (i) What type of premises did the wild boar go in to?   *Track 23*
  (ii) The customers:
   (a) escaped through the windows. ☐
   (b) ran upstairs to hide. ☐
   (c) took refuge in a back room. ☐
   (d) were evacuated from the premises. ☐

3. Where in Paris had these families been living?   *Track 24*
   (i) In hostels. ☐
   (ii) In caravans. ☐
   (iii) In derelict houses. ☐
   (iv) In tents. ☐

2007

Section I   *Track 25*

Three holidaymakers, Florence, Jean-Luc and Sofie, complain about the high cost of holidays. In the exam you will hear the item **three times**: first right through, then in **three segments** with pauses, and finally right through again.

1. (i) Florence is staying in:
   (a) a campsite. ☐
   (b) an apartment. ☐
   (c) a villa. ☐
   (d) a hotel. ☐
  (ii) How much did the drinks cost?

2. What does Jean-Luc find particularly expensive?
   (i) Sightseeing. ❐
   (ii) Ice-cream. ❐
   (iii) Petrol. ❐
   (iv) Amusement parks. ❐

3. Sofie is lucky because her father regularly:
   (i) puts money in her bank account. ❐
   (ii) writes to her. ❐
   (iii) buys her a drink. ❐
   (iv) takes her to the sea-side. ❐

Section II   Track 26

In this interview, Doctor Bernard Kouchner puts the case for 'le service civil', a civic national service scheme for young people. In the exam you will hear the interview **three times**: first right through, then in **four segments** with pauses, and finally right through again.

1. According to Dr Kouchner, civic service would give young people the opportunity to:
   (i) help the poor. ❐
   (ii) care for the environment. ❐
   (iii) work in the community. ❐
   (iv) meet other people. ❐

2. Who went to visit the Nile valley in Egypt, according to Dr Kouchner?

3. The civic service would last for:
   (i) ten months. ❐
   (ii) six months. ❐
   (iii) four months. ❐
   (iv) twelve months. ❐

4. How would young people be rewarded for taking part in the scheme?
   (i) They would be taught a new language. ❐
   (ii) They would be given a uniform. ❐
   (iii) Their driving licence would be paid for. ❐
   (iv) Their mobile phone bills would be paid. ❐

Section III

Track 27

You will hear a conversation between Brigitte and her boyfriend Didier. In the exam you will hear the conversation **three times**: first right through, then in **three segments** with pauses, and finally right through again.

1. Didier has been working every:
    (i) Monday and Tuesday. ❏
    (ii) Thursday and Saturday. ❏
    (iii) Friday and Sunday. ❏
    (iv) Wednesday and Saturday. ❏

2. What happened to Philippe last week?

3. (i) How did Didier show his anger?
    (a) He slammed the door. ❏
    (b) He shouted at his boss. ❏
    (c) He broke a car window. ❏
    (d) He overturned the bin. ❏
    (ii) What does Brigitte think of Didier's behaviour?

Section IV

Track 28

You will hear an account of the effects of a fire in Rouen. In the exam you will hear the account **three times**: first right through, then in **four segments** with pauses, and finally right through again.

1. Mention **one** way in which the incident affected Daniel Garnier.

2. The main victims of the power cut were:
    (i) householders. ❏
    (ii) banks. ❏
    (iii) market traders. ❏
    (iv) schools. ❏

3. Sébastian Mouchon said he was lucky because:
    (i) his employees helped him out. ❏
    (ii) the weather was very warm. ❏
    (iii) he didn't have much machinery. ❏
    (iv) he had ice to preserve the fish. ❏

4. Who explained the situation to the people?
    (i) The mayor. ❏
    (ii) The electricians. ❏
    (iii) The firemen. ❏
    (iv) The police. ❏

Section V

In the exam you will hear each of **three** news items **twice**.

Track 29

1. The Euro Lotto winner won:
   - (i) 64 million euros.   ❏
   - (ii) 53 million euros.   ❏
   - (iii) 47 million euros.   ❏
   - (iv) 38 million euros.   ❏

2. (i) Who made the seizure of cocaine?

   Track 30

   - (a) Policemen.   ❏
   - (b) The Army.   ❏
   - (c) Customs officials.   ❏
   - (d) The Navy.   ❏

   (ii) In what country was the lorry registered?

3. According to this weather forecast, tomorrow will be:

   Track 31

   - (i) sunny.   ❏
   - (ii) overcast.   ❏
   - (iii) frosty.   ❏
   - (iv) cold.   ❏

2006

Section I

Track 32

You will hear an interview with Jamel Debbouze, one of France's best-known young comedians. In the exam you will hear the interview **three times**: first right through, then in **three segments** with pauses, and finally right through again.

1. (i) According to Jamel, he was often:
   - (a) top of the class.   ❏
   - (b) late for school.   ❏
   - (c) bottom of the class.   ❏
   - (d) punished at school.   ❏

   (ii) What did Jamel do at the age of fourteen?

2. Before coming to Paris, Jamel's parents lived in:
   - (i) Moscow.   ❏
   - (ii) Morocco.   ❏
   - (iii) America.   ❏
   - (iv) Australia.   ❏

3. In order to keep his feet on the ground, whom does Jamel need?

Section II

Track 33

You will now hear some information on the future of languages. In the exam you will hear the material **three times**: first right through, then in **four segments** with pauses, and finally right through again.

1. How many languages disappear each year?

2. Which one of the following languages is mentioned in this section?
    (i) Italian.   ❐
    (ii) German.   ❐
    (iii) Portuguese.   ❐
    (iv) Dutch.   ❐

3. Certain people in the Pacific know the names of hundreds of:
    (i) insects.   ❐
    (ii) animals.   ❐
    (iii) birds.   ❐
    (iv) fish.   ❐

4. In France, what have the Corsican, Breton and Basque people achieved?
    (i) Books are published in their language.   ❐
    (ii) Radio programmes use their language.   ❐
    (iii) Their language may be taught in school.   ❐
    (iv) Television announcers use their language.   ❐

Section III

Track 34

Hélène and Bertrand discuss a possible gift for their father's 50th birthday. In the exam you will hear the conversation **three times**: first right through, then in **three segments** with pauses, and finally right through again.

1. What does Bertrand suggest as a suitable gift?

2. Hélène suggests instead:
    (i) a new computer.   ❐
    (ii) a new television.   ❐
    (iii) a weekend away.   ❐
    (iv) a gift cheque.   ❐

3. (i) Where did Hélène find a special offer?
        (a) On the web.   ❐
        (b) At a travel agents.   ❐
        (c) In the small ads.   ❐
        (d) In a magazine.   ❐
    (ii) Bertrand is going to borrow money from Hélène. When will he pay her back?

Section IV

Track 35

French politician Nathalie Kosciusco-Morizet answers questions. In the exam you will hear the interview **three times**: first right through, then in **four segments** with pauses, and finally right through again.

1. According to Nathalie, women in politics are:
   (i) 20 years behind men. ❏
   (ii) 5 years ahead of men. ❏
   (iii) 10 years behind men. ❏
   (iv) 15 years ahead of men. ❏

2. Nathalie says that husbands don't want their wives to go into politics because:
   (i) they won't earn enough. ❏
   (ii) they will be spending time with other men. ❏
   (iii) they should look after their children. ❏
   (iv) they will be unhappy. ❏

3. According to Nathalie, the world of politics is:
   (i) tiring. ❏
   (ii) exciting. ❏
   (iii) full of disappointment. ❏
   (iv) full of surprises. ❏

4. What does Nathalie like to do?
   (i) Travel. ❏
   (ii) Play sport. ❏
   (iii) Help people. ❏
   (iv) Watch television. ❏

Section V

In the exam you will now hear each of **three** news items **twice**.

Track 36

1. (i) This news item refers to:
   (a) baseball. ❏
   (b) basketball. ❏
   (c) cricket. ❏
   (d) handball. ❏
   (ii) What country did France beat in the final?

2. The teenager was:

Track 37

   (i) shot. ❏
   (ii) hit by lightning. ❏
   (iii) drowned. ❏
   (iv) sunburnt. ❏

3.　When were the two teenagers arrested?

Track 38

    (i) On Wednesday morning.　❒

    (ii) Yesterday.　❒

    (iii) On Monday evening.　❒

    (iv) This afternoon.　❒

2005

Section I

Track 39

You will hear an interview with Julien, one of the contestants in the competition 'Nouvelle Star', the French equivalent of Pop Idol. In the exam you will hear the interview **three times**: first right through, then in **three segments** with pauses and finally right through again.

1.　Before taking part in the programme, Julien worked:

    (i) in a shop.　❒

    (ii) as a cook.　❒

    (iii) as a producer.　❒

    (iv) on television.　❒

2.　(i)　How old was Julien when he did his first concert?

    (ii) Name one outdoor activity that Julien enjoys.

3.　Julien says he is:

    (i) studious.　❒

    (ii) friendly.　❒

    (iii) shy.　❒

    (iv) romantic.　❒

Section II

Track 40

French footballer Thierry Henry answers questions posed by a journalist from *Aujourd'hui en France*. In the exam you will hear the interview **three times**: first right through, then in **four segments** with pauses and finally right through again.

1.　Write down one value Thierry Henry has with regard to football.

2.　If Thierry Henry was five minutes late coming home from school, his father would:

    (i) telephone the school.　❒

    (ii) look everywhere for him.　❒

    (iii) contact the police.　❒

    (iv) do nothing.　❒

3. When in London, Thierry Henry likes to go to which type of restaurant?
    (i) English. ❐
    (ii) Chinese. ❐
    (iii) Spanish. ❐
    (iv) Italian ❐

4. Thierry Henry says his wife has taught him:
    (i) to cook. ❐
    (ii) to be more tolerant. ❐
    (iii) to appreciate art. ❐
    (iv) to relax. ❐

Section III

Xavier, Franck and Robert are asked to say what was the most memorable moment in their life as a father. In the exam you will hear the material **three times**: first right through, then in **three segments** with pauses and finally right through again.

1. Xavier's relationship with his son was: ◎ *Track 41*
    (i) exciting. ❐
    (ii) boring. ❐
    (iii) fragile. ❐
    (iv) rewarding. ❐

2. (i) What day in his daughter's life will Franck never forget? ◎ *Track 42*
    (ii) That evening, she:
        (a) told him all about her day. ❐
        (b) told him nothing about the day. ❐
        (c) was sad. ❐
        (d) was tired. ❐

3. Robert thought his daughter had grown up when: ◎ *Track 43*
    (i) she went to school. ❐
    (ii) she got a job. ❐
    (iii) she drove a car on her own. ❐
    (iv) she rode a bicycle on her own. ❐

Section IV ◎ *Track 44*

Marie-France has a problem and phones her older brother Antoine about it.
In the exam you will hear the conversation **three times**: first right through, then in **four segments** with pauses and finally right through again.

1. This morning Marie-France:
   (i) got up early.   ❐
   (ii) had an accident.   ❐
   (iii) had an argument with her mother.   ❐
   (iv) learned she had got a place at university.   ❐

2. Marie-France wanted to travel:
   (i) by bus.   ❐
   (ii) by car.   ❐
   (iii) by boat.   ❐
   (iv) by train.   ❐

3. How did Antoine go to university for the first time?

4. According to Antoine, Marie-France is:
   (i) happy.   ❐
   (ii) sad.   ❐
   (iii) selfish.   ❐
   (iv) lonely.   ❐

Section V

In the exam you will now hear each of **three** news items **twice**.   ◉ *Track 45*

1. (i) How many passengers were on the train?
   (ii) The passengers:
       (a) remained on the train.   ❐
       (b) panicked.   ❐
       (c) were taken off the train.   ❐
       (d) were hungry.   ❐

2. These statistics apply to: ◉ *Track 46*
   (i) bottles of water.   ❐
   (ii) bottles of whiskey.   ❐
   (iii) bottles of wine.   ❐
   (iv) bottles of coke.   ❐

3. Which of the following items will no longer be sold in French   ◉ *Track 47*
   schools?
   (i) fruit.   ❐
   (ii) biscuits.   ❐
   (iii) cheese.   ❐
   (iv) sweets.   ❐

5 Grammar

Introduction

In the Reading Comprehension section you will be asked a grammar question, e.g. 'Trouvez un adjectif féminin' (*Find a feminine adjective*).

KNOW YOUR GRAMMAR!
The importance of grammar in the Leaving Certificate French exam cannot be overemphasised.

In the Written Expression section, every sentence you write will contain at least one verb. In the Oral Exam, again you won't be able to say very much unless you know your verbs. So if you want to score highly in any of these areas it is essential that you have a good grasp of grammar.

This section revises all the basic French grammar you need for the exam, especially verbs.

Les noms (Nouns)

A noun (*un nom*) is the **name of a person, place or thing**. 'Cat', 'bakery', 'Anne', 'town' are all nouns in English. All nouns in French are either masculine or feminine. The **article** (word for 'a' or 'the') will usually tell you the **gender** of a noun (whether it is masculine or feminine). A **singular noun** means that there is only one thing or person. A **plural noun** means that there is more than one thing or person.

Each explanation begins with a definition of the grammar term in English and in French, as it is important that you understand these for the grammar question in the Reading Comprehension section.

Le genre (Gender of nouns)

Whenever you learn a new word in French you will have to learn the gender (*le genre*), i.e. whether it is masculine or feminine. Sometimes you can tell its gender by looking at the word. Here are a few points to help you.

Les noms masculins *(Masculine nouns)*

- Names of male animals, days, months, seasons, trees, fruits, colours, languages and flowers not ending in '-e' are masculine.

- Most countries not ending in '-e' are also masculine.

- Words with the following endings are usually masculine:

-age	*(le courage)*	**Exception: la plage**
-acle	*(un obstacle)*	
-amme	*(le programme)*	
-ment	*(le commencement)*	
-et	*(le billet)*	
-al	*(le total)*	
-er	*(le fer)*	**Exception: la mer**
-isme	*(le réalisme)*	
-oir	*(le séchoir)*	

Les noms féminins *(Feminine nouns)*

- Names of females, continents, most countries, rivers, fruits and shrubs ending in '-e' are feminine.

- Words with the following endings are usually feminine:

-ance	*(une tendance)*
-anse	*(la danse)*
-ence	*(la prudence)*
-ense	*(la défense)*
-esse	*(la jeunesse)*
-ise	*(une valise)*
-ion	*(une expression)*
-ure	*(la mesure)*

Masculine nouns with modified feminine forms

The feminine equivalent of many masculine forms is formed by adding an extra '-e' at the end: mon voisin/ma voisine.

Not all nouns follow this pattern. Further changes are common with masculine endings as follows:

-eur	-euse	*(un chanteur/une chanteuse)*
-teur	-trice	*(un acteur/une actrice)*
-eau	-elle	*(un jumeau/une jumelle)*
-er	-ère	*(un boulanger/une boulangère)*
-ien	-ienne	*(un Italien/une Italienne)*
-f	-ve	*(un veuf/une veuve)*
-x	-se	*(un époux/une épouse)*

Single gender nouns

Some nouns have the same gender regardless of whether the person described is masculine or feminine.

un bébé (*baby*)   un écrivain (*writer*)   une vedette (*film star*)
un médecin (*doctor*)   un professeur (*teacher*)   une victime (*victim*)
une personne (*person*)   un témoin (*witness*)

Now test yourself. Put 'le' or 'la' in front of the following nouns.

1. _____ danseur   4. _____ plage
2. _____ voiture   5. _____ témoin
3. _____ cyclisme

Les noms pluriels *(Plurals of nouns)*

To make a noun **plural** you generally add '-s' to the singular form.

Other formation patterns are as follows.

- Nouns ending in '-s', '-x' or '-z' do not change in the plural: le fils/les fils.
- Nouns ending in '-eu' and '-au' add '-x' in the plural: le jeu/les jeux.
- Most nouns ending in '-al' change to '-aux' in the plural: le cheval/les chevaux.
  The following nouns ending in '-ou' add '-x' in the plural:
  ▶ le bijou – les bijoux *(jewel)*
  ▶ le caillou – les cailloux *(pebble)*
  ▶ le chou – les choux *(cabbage)*
  ▶ le genou – les genoux *(knee)*
  ▶ le hibou – les hiboux *(owl)*
  ▶ le joujou – les joujoux *(toy)*
  ▶ le pou – les poux *(lice)*
- Special plurals include:
  ▶ l'œil – les yeux *(eye)*
  ▶ le ciel – les cieux *(sky)*
  ▶ Monsieur – Messieurs *(Mr, Gentlemen)*
  ▶ Madame – Mesdames *(Mrs, Ladies)*
  ▶ Mademoiselle – Mesdemoiselles *(Miss)*

Make the following nouns plural.

1. le journal   4. le morceau
2. un œil   5. l'homme
3. le nez

Les articles *(Articles)*

The article is the word for 'a' or 'the'. This word will usually tell you the gender of a noun (whether it is masculine or feminine). The word 'the' is called the **definite article** (*l'article défini*), while the word 'a' is called the **indefinite article** (*l'article indéfini*).

L'article défini *(Definite article)*

There are three words for '**the**' in French:

- **le:** before a masculine singular noun (le chat – *the cat*)
- **la:** before a feminine singular noun (la boulangerie – *the bakery*)
- **les:** before all plural nouns (les maisons – *the houses*)

l': this is a shortened form of 'le' and 'la'. We use it before a singular noun that begins with a vowel (a, e, i, o, u) or a silent 'h' (l'orange – **the orange**; l'homme – **the man**).

L'article indéfini *(Indefinite article)*

There are two words for 'a' in French:

- **un:** before a masculine singular noun (un chat – *a cat*)
- **une:** before a feminine singular noun (une boulangerie – *a bakery*)

For indefinite nouns **in the plural 'des' is used**: des maisons (*houses, some houses*).

Use of the definite and indefinite articles

There are some differences in the use of 'the' and 'a' between French and English.

- In French 'le', 'la' and 'les' are used in generalisations.
  Compare: Tu aimes l'école ? *Do you like school?*
- In French 'le' or 'la' are used before countries, sports and school subjects.
  Compare: Je n'aime pas la natation. *I don't like swimming.*
- In French 'le' or 'la' are used when talking about parts of the body.
  Compare: Elle a les yeux bleus. *She has blue eyes.*
- In French 'un' or 'une' are not used when saying what someone's job is.
  Compare: Mon père est facteur. My father is a postman.

Now test yourself. Fill in the blanks with 'le/la/l'/les/un/une/des'.

1. J'adore … sport.
2. Nous avons … maison.
3. Le prof enseigne … histoire.
4. Il a … cheveux courts.
5. Où sont … parents ?

6. Elle a … chien.
7. J'étudie … français.
8. Marc a … sœurs.
9. J'aime … équitation.
10. Ma mère travaille dans … magasin.

Les prépositions *(Prepositions)*

A preposition is a word that tells you about the **position** of someone or something.

Some Common Prepositions

à *to, at, in*	contre *against*	entre *between*
après *after*	dans *in, into*	sans *without*
avant *before*	de *from*	sous *under*
avec *with*	derrière *behind*	sur *on*
chez *at the house of*	devant *in front of*	

À

- The little word 'à' means 'to', 'at' or 'in':
  - ▶ Il va à Dublin. He goes to Dublin.
  - ▶ Il est à Dublin. He is in Dublin.
- In order to say 'to the' or 'at the' you need to link 'à' with 'le/la/l'/les' as follows:
  - ▶ à + le = au (before a masculine singular noun)
  - ▶ à + la = à la (before a feminine singular noun)
  - ▶ à + l' = à l' (before a singular noun beginning with a vowel or a silent 'h')
  - ▶ à + les = aux (before all plural nouns)

  - ▶ Il va au magasin. *He goes to the shop.*
  - ▶ Il va à la plage. *He goes to the beach.*
  - ▶ Il va à l'hôpital. *He goes to the hospital.*
  - ▶ Il va aux magasins. *He goes to the shops.*

De

- The little word 'de' means 'of' or 'from'. It can be used to express possession or to say where somebody is coming from.
  - ▶ Le pull de Paul *Paul's coat (the coat of Paul)*
  - ▶ Il vient de Dublin. *He comes from Dublin.*

- The following changes occur when 'de' combines with 'le/la/l'/les':
  - ▶ de + le = du (before a masculine singular noun)
  - ▶ de + la = de la (before a feminine singular noun)
  - ▶ de + l' = de l' (before a singular noun beginning with a vowel or a silent 'h')
  - ▶ de + les = des (before all plural nouns)

  - ▶ Il vient du cinéma. *He is coming from the cinema.*
  - ▶ la voiture de la mère *the mother's car*
  - ▶ la voiture des parents *the parents' car*

L'article partitif *(Partitive article)*

'Du/de la/de l'/des' can also mean '**some**' or '**any**' and must be used in French even when left out in English:

> Il mange de la viande. *He eats meat.*
> Marie a des amis à l'école. *Marie has friends in school.*

Exceptions to this rule. All these forms **stay as 'de'** in the following situations:

- after a negative verb:
  J'ai des livres./Je n'ai pas de livres.
- after an expression of quantity (beaucoup/trop/un kilo, etc.):
  J'ai des livres./J'ai beaucoup de livres.
- when, in the plural, an adjective precedes a noun:
  Il y a de belles montagnes, de grands champs et des arbres énormes.

Now test yourself. Translate these short phrases.

1. She lives in Wexford.
2. We go to the shops.
3. She speaks to the teacher.
4. David's book.
5. The man's dog.
6. He eats meat.
7. I have no friends.
8. He comes from Cork.
9. The book is under the table.
10. He speaks to Paul.

Les adjectifs *(Adjectives)*

An adjective is a word which **tells us more about a noun**, e.g. in 'the red car' – 'red' is an adjective because it tells us more about the car.

Agreement of adjectives

Rule: An adjective describing a noun in French must agree with the noun in gender and in number. This means that if the noun is feminine singular so must the adjective be, and if the noun is masculine plural so must the adjective be: la petite maison, les petits livres.

Feminine forms

To make an adjective **feminine** you generally add '-e' to the masculine form: petit – petite.

If the adjective already ends in '-e' you do not add another '-e'.

Other formation patterns include:

- If the adjective ends in '-er' or '-et' change to '-ère' (cher – chère) or '-ète' (secret – secrète).
- If it ends in '-x' change to '-se': heureux – heureuse.
- If it ends in '-f' change to '-ve': sportif – sportive.
- In some cases, we double the last letter before adding '-e': bon – bonne, gros – grosse, gentil – gentille.

Irregular feminine forms

beau – belle   (*beautiful*)
blanc – blanche   (*white*)
doux – douce   (*sweet, soft*)
faux – fausse   (*false*)
favori – favorite   (*favourite*)
fou – folle   (*mad*)

frais – fraîche   (*fresh, cool*)
long – longue   (*long*)
nouveau – nouvelle   (*new*)
public – publique   (*public*)
sec – sèche   (*dry*)
vieux – vieille   (*old*)

Irregular masculine forms

Three common masculine adjectives have a special form if they are followed by a masculine singular noun beginning with a **vowel or a silent 'h'**: nouveau, vieux, beau.

nouveau – nouvel   (le nouvel homme – *the new man*)
vieux – vieil   (le vieil homme – *the old man*)
beau – bel   (le bel homme – *the handsome man*)

Plural adjectives

Rule: To make an **adjective plural you add '-s' to the singular**: petit – petits.
If the adjective already ends in '-s' or '-x' no extra '-s' is needed: gris – gris.

Other formation patterns:
- If the adjective ends in '-eau' add '-x' in the plural: beau – beaux.
- If it ends in '-al' change to '-aux' in the plural: national – nationaux.

Position of adjectives

Rule: Most adjectives follow the noun in French (une maison blanche – *a white house*).

However, some adjectives generally come **before the noun**. Here are the most important ones:

beau   (*beautiful*) – un beau garçon   joli   (*pretty*) – un joli bateau

bon   (*good*) – un bon livre   long   (*long*) – un long voyage

grand   (*big*) – un grand garçon   mauvais   (*bad*) – un mauvais enfant

gros   (*large*) – un gros paquet   nouveau   (*new*) – un nouveau film

haut   (*high*) – un haut bâtiment   petit   (*small*) – un petit chien

jeune   (*young*) – un jeune bébé   vieux   (*old*) – un vieux château

Now test yourself. Translate these short phrases.

1. **A beautiful girl.**
2. **The red house.**
3. **A small dog.**
4. **A sporty girl.**
5. **A new jumper.**

Les adjectifs possessifs *(Possessive adjectives)*

An example of a possessive adjective is the word 'mon' (*my*). It is **possessive** because it tells us who owns something, and it is an **adjective** because it tells us more about a noun.

Masculine Singular	Feminine Singular	Plural (Masc. and Fem.)	Meaning
mon	ma	mes	*my*
ton	ta	tes	*your*
son	sa	ses	*his*
son	sa	ses	*her*
notre	notre	nos	*our*
votre	votre	vos	*our*
leur	leur	leurs	*their*

In French, all possessive adjectives **agree with the gender of the noun**, not with the gender of the person who owns it.

This is especially important with 'son/sa', both of which mean 'his' and 'her'.
Il regarde sa fille.   *He looks at his daughter.*
Elle aime son frère.   *She loves her brother.*

We use 'sa fille' because 'daughter' is feminine and 'son frère' because 'brother' is masculine, regardless of who 'looks' or who 'loves'.

The masculine form is used before a feminine singular noun beginning with a **vowel or a silent 'h'**: mon assiette, ton histoire, son école.

Les adjectifs interrogatifs *(Interrogative adjectives)*

The French word for '**which**' or '**what**' (with a noun) is '**quel**'. It is an adjective and therefore will agree with the noun. This means it will change according to whether the noun is masculine or feminine, plural or singular.

Masculine Singular	Feminine Singular	Masculine Plural	Feminine Plural
quel	quelle	quels	quelles
quel nom	quelle adresse	quels livres	quelles voitures

The word 'quel' can also be used in exclamations in order to say 'What a … !'

Quel dommage !   *What a pity!*
Quelle femme étrange !   *What a strange woman!*

Les adjectifs démonstratifs *(Demonstrative adjectives)*

These are **used instead of 'le, l', la, les' for nouns** that you want to point out to someone. They mean 'this/that/these' or 'those'.

They are **demonstrative** because they point out things to us and they are **adjectives** because they tell us more about a noun, e.g. 'Which book?' 'This book.' Like other adjectives they change according to whether the noun is masculine or feminine, singular or plural.

Masculine Singular	Feminine Singular	Plural (Masc. and Fem.)
ce/cet (before a vowel and a silent 'h')	cette	ces
ce chapeau	cette jupe	ces chaussures
cet anorak	cette écharpe	

'**Ce**' and '**cette**' can mean either 'this' or 'that'. '**Ces**' can mean either 'these' or 'those'. Because each of the words can mean two things, you can add '**-ci**' and '**-là**' to the nouns to distinguish between 'this/that', and 'these/those'.

Est-ce que tu préfères **ce** pull-ci ou ce pull-là ?   *Do you prefer this pullover or that pullover?*
Je vais acheter **cette** robe-là.   *I'm going to buy that dress.*
J'adore **ces** chaussures-ci.   *I love these shoes.*

Now test yourself. Translate these short phrases.

1. Their father.
2. Our friends.
3. His sister.
4. Which books?
5. Which girls?

6. What boy?
7. This boy.
8. This man.
9. This house.
10. These books.

Les adverbes (Adverbs)

An adverb tells you **more about the verb**, often explaining how, when or where something happens.

To form an adverb in English we usually add '-ly' to the adjective: slow – slowly; quick – quickly. To form an adverb in French we usually add '**-ment**' to the feminine of the adjective.

Masculine Adj.	Feminine Adj.	Adverb	Meaning
léger	légère	légèrement	*lightly*
doux	douce	doucement	*softly*

Other formation patterns:
- If the masculine form of the adjective **ends in a vowel**, you just add '-ment':
  - ▶ absolu – absolument
  - ▶ vrai – vraiment
- If the adjective ends in '-ant' or '-ent' you change it to '-amment' or '-emment':
  - ▶ constant – constamment
  - ▶ prudent – prudemment
- There are also some **exceptions** to these rules. These need to be learnt:
  - ▶ bon – bien
  - ▶ bref – brièvement
  - ▶ gai – gaiement
  - ▶ gentil – gentiment
  - ▶ mauvais – mal
  - ▶ meilleur – mieux

Position of adverbs
- In general, adverbs follow the verb and, unlike in English, they never go between the subject and the verb:
  - ▶ Il conduit bien. *He drives well.*
  - ▶ Il conduit souvent. *He often drives.*

- In compound tenses such as the 'passé composé' the adverb usually goes between the auxiliary verb ('avoir' or 'être') and the past participle:
  - ▶ Il a bien conduit. *He drove well.*
- However, most adverbs ending in '-ment' come after the past participle:
  - ▶ Il a conduit lentement. *He drove slowly.*

Comparison of adverbs

- Adverbs form their comparative and superlative as follows:
  - ▶ rapidement – plus rapidement – le plus rapidement
  - ▶ sûrement – moins sûrement – le moins sûrement
  - ▶ Exceptions: bien – mieux – le mieux *(well – better – best)*
  - ▶ mal – plus mal/pire – le plus mal/le pire *(badly – worse – the worst)*
- Expressions of comparison: de plus en plus *(more and more)*
  - ▶ de moins en moins *(less and less)*
  - ▶ de mieux en mieux *(better and better)*

Now test yourself. Translate these words.

1. Softly.
2. Best.
3. Well.
4. Badly.
5. Enormously.

Les verbes (Verbs)

Le verbe *(verb)*: **Most verbs express actions**, e.g. he buys, she played (il achète, elle a joué). Sometimes verbs describe the state of things, e.g. it is fine (il fait beau). Every sentence contains at least one verb. Verbs in French have different endings and forms depending on the person (I, you, he, she, etc.) and the tense (present, future, etc.). Regular verbs follow a set pattern and irregular verbs follow different patterns. Some of the most commonly used verbs in French are irregular.

Le temps *(tense)*: The tense of the verb tells you **when something happens or happened.** Each verb has several tenses. Here we will revise the present tense ('le présent de l'indicatif'), the future tense ('le futur'), the perfect tense ('le passé composé'), the imperfect tense ('l'imparfait') and the conditional tense ('le conditionnel').

L'infinitif *(infinitive)*: This is the form of the verb you find in a **dictionary**, e.g. 'to speak, to do', etc. Regular verbs in French have an infinitive which ends in either '-er', '-ir' or '-re', e.g. 'donner' *(to give)*, 'finir' *(to finish)*, 'vendre' *(to sell)*.

Le présent de l'indicatif *(Present tense)*

In English, there are **two forms** of the present tense:

- He is playing: time is right now.
- He plays: time is more general, every day.

In French, there is only **one present form**.

Both English forms above are translated by 'Il joue':
je mange   *(I eat/I am eating)*
nous chantons   *(we sing/we are singing)*
ils jouent   *(they play/they are playing)*

Les verbes réguliers *(Regular verbs)*

The following is the formation for the present tense of
the **three regular groups**.

If you know these endings, you can form the present tense of any regular verb.

'-er': donner *(to give)*	'-ir': finir *(to finish)*	'-re': vendre *(to sell)*
je donne *(I give/am giving)*	je finis *(I finish/am finishing)*	je vends *(I sell/am selling)*
tu donnes	tu finis	tu vends
il/elle donne	il/elle finit	il/elle vend
nous donnons	nous finissons	nous vendons
vous donnez	vous finissez	vous vendez
ils/elles donnent	ils/elles finissent	ils/elles vendent

Common regular verbs

arriver	*to arrive*	habiter	*to live*
attendre	*to wait*	jouer	*to play*
bavarder	*to chat*	laisser	*to leave*
chanter	*to sing*	louer	*to hire*
choisir	*to choose*	parler	*to talk*
écouter	*to listen*	porter	*to carry*
entendre	*to hear*	punir	*to punish*
entrer	*to enter*	quitter	*to leave*
emprunter	*to borrow*	regarder	*to look at*
éviter	*to avoid*	tomber	*to fall*
fermer	*to close*	travailler	*to work*

Les verbes pronominaux *(Reflexive verbs)*

- These verbs are called **reflexive** because they **refer back** to oneself, e.g. 'se laver' *(to wash oneself)*.
- Reflexive verbs thus have an **extra pronoun**, i.e. 'me, te, se, nous, vous, se'.
- Many reflexive verbs are **regular '-er' verbs**, e.g. 'se laver'. Thus, in any of the verb tenses (present, future, imperfect and conditional), they are conjugated like any other '-er' verb except that they have an extra pronoun.

Se laver	To wash oneself
je me lave	*I wash myself*
tu te laves	*you wash yourself*
il/elle se lave	*he/she washes him/herself*
nous nous lavons	*we wash ourselves*
vous vous lavez	*you wash yourselves*
ils/elles se lavent	*they wash themselves*

- Here are some of the more common reflexive verbs:
  - ▶ s'amuser *to have a good time*
  - ▶ s'appeler *to be called*
  - ▶ se coucher *to go to bed*
  - ▶ se dépêcher *to hurry up*
  - ▶ se fâcher *to get angry*
  - ▶ s'habiller *to get dressed*
  - ▶ se laver *to wash oneself*
  - ▶ se lever *to get up*
  - ▶ se reposer *to rest*
  - ▶ se réveiller *to wake up*

Common irregular verbs in the present tense

Many common verbs are irregular in the present tense in French.

It is important to learn these verbs off by heart as they do not follow a pattern. On the next page is a chart listing the more commonly used irregular verbs.

Aller (*to go*)	Avoir (*to have*)
je vais (*I go/am going*)	j'ai (*I have*)
tu vas (*you go/are going*)	tu as (*you have*)
il/elle va (*he/she goes/is going*)	il/elle a (*he/she has*)
nous allons (*we go/are going*)	nous avons (*we have*)
vous allez (*you go/are going*)	vous avez (*you have*)
ils/elles vont (*they go/are going*)	ils/elles ont (*they have*)
Être (*to be*)	**Faire (*to make/do*)**
je suis (*I am*)	je fais (*I do/am doing*)
tu es (*you are*)	tu fais (*you do/are doing*)
il/elle est (*he/she is*)	il/elle fait (*he/she does/is doing*)
nous sommes (*we are*)	nous faisons (*we do/are doing*)
vous êtes (*you are*)	vous faites (*you do/are doing*)
ils/elles sont (*they are*)	ils/elles font (*they do/are doing*)
Pouvoir (*to be able to*)	**Prendre (*to take*)**
je peux (*I can*)	je prends (*I take/am taking*)
tu peux (*you can*)	tu prends (*you take/are taking*)
il/elle peut (*he/she can*)	il/elle prend (*he/she takes/is taking*)
nous pouvons (*we can*)	nous prenons (*we take/are taking*)
vous pouvez (*you can*)	vous prenez (*you take/are taking*)
ils/elles peuvent (*they can*)	ils/elles prennent (*they take/are taking*)
Recevoir (*to receive*)	**Savoir (*to know a fact*)**
je reçois (*I receive*)	je sais (*I know*)
tu reçois (*you receive*)	tu sais (*you know*)
il/elle reçoit (*he/she receives*)	il/elle sait (*he/she knows*)
nous recevons (*we receive*)	nous savons (*we know*)
vous recevez (*you receive*)	vous savez (*you know*)
ils/elles reçoivent (*they receive*)	ils/elles savent (*they know*)
Sortir (*to go out*)	**Venir (*to come*)**
je sors (*I go/am going out*)	je viens (*I come/am coming*)
tu sors (*you go/are going out*)	tu viens (*you come/are coming*)
il/elle sort (*he goes/is going out*)	il/elle vient (*he/she comes/is coming*)
nous sortons (*we go/are going out*)	nous venons (*we come/are coming*)
vous sortez (*you go/are going out*)	vous venez (*you come/are coming*)
ils/elles sortent (*they go/are going out*)	ils/elles viennent (*they come/are coming*)
Voir (*to see*)	**Vouloir (*to wish/want*)**
je vois (*I see*)	je veux (*I want*)
tu vois (*you see*)	tu veux (*you want*)
il/elle voit (*he/she sees*)	il/elle veut (*he/she wants*)
nous voyons (*we see*)	nous voulons (*we want*)
vous voyez (*you see*)	vous voulez (*you want*)
ils/elles voient (*they see*)	ils/elles veulent (*they want*)

Now test yourself. Translate these verbs.

1. We go.
2. They see.
3. He has.
4. I am.
5. You want (sing.).

6. You do (pl.).
7. I wash myself.
8. We are playing.
9. She lives.
10. He finishes.

Le participe présent *(Present participle)*

The present participle in English ends in '-ing' (running, reading).

In French, it ends in '**-ant**' (e.g. 'courant, lisant'). It is used to say 'while', 'by' or 'on' doing something and usually the little word '**en**' comes before the present participle:
En lisant le livre, Marie s'est endormie. *While reading the book Marie fell asleep.*

To form the present participle you take the '**nous**' **form of the present tense** (e.g. 'nous lisons'), **drop the '-ons'** and add '**-ant**' (lisant).

There are only **three exceptions** to this rule:

      être *(to be)*   – étant
      avoir *(to have)* – ayant
      savoir *(to know)* – sachant

Le futur *(Future tense)*

In English, the future tense is made up of two verbs, i.e. 'I will eat my dinner tomorrow.'

In French, the future tense, like the present tense, is a **one verb tense**, i.e. 'Je mangerai mon déjeuner demain.'

- For '-er' and '-ir' verbs you take the whole infinitive, e.g. 'donner', 'finir', and then **add your endings.**
- For '-re' verbs you must remember to take off the final '-e' from the infinitive, e.g. vendre – vendr-, and then add your endings.

The future tense endings are:

je	-ai
tu	-as
il/elle	-a
nous	-ons
vous	-ez
ils/elles	-ont

donner: je donnerai, tu donneras *(I will give, you will give)*
finir: je finirai, tu finiras *(I will finish, you will finish)*
vendre: je vendrai, tu vendras *(I will sell, you will sell)*

Therefore, the **key letter** in identifying the future tense is the letter 'r', which comes before the future endings.

Irregular verbs in the future tense have an irregular stem. However, you will be happy to learn that this **stem always ends in '-r'** and all the verbs have **regular endings**, i.e. -ai, -as, -a, -ons, -ez, -ont.

> **key point**
>
> The stem is the same as that used for the conditional tense, so if you learn it once you will know it for both tenses.

Common irregular verbs in the future tense

aller (*to go*)	j'irai (*I will go*)
avoir (*to have*)	j'aurai (*I will have*)
courir (*to run*)	je courrai (*I will run*)
devoir (*to have to*)	je devrai (*I will have to*)
être (*to be*)	je serai (*I will be*)
faire (*to make/do*)	je ferai (*I will do*)
pouvoir (*to be able*)	je pourrai (*I will be able*)
recevoir (*to receive*)	je recevrai (*I will receive*)
savoir (*to know*)	je saurai (*I will know*)
tenir (*to hold*)	je tiendrai (*I will hold*)
venir (*to come*)	je viendrai (*I will come*)
voir (*to see*)	je verrai (*I will see*)
vouloir (*to wish/want*)	je voudrai (*I will want*)

Le futur proche *(Immediate future)*

In French, there is also an immediate future ('futur proche'). This indicates what you are **going to do**: Je vais aller au cinéma. *I am going to go to the cinema.*

As you can see, the formation of this is the same as in English. You use the **present tense of 'aller'** (je vais, tu vas, il va, elle va, nous allons, vous allez, ils vont, elles vont) **and the infinitive**:

> I am going to see *je vais voir*
> we are going to play *nous allons jouer*
> they are going to see *ils vont voir*

Now test yourself. Translate these verbs.

1. I will go.
2. He will have.
3. We will sell.
4. She will be.
5. We will do.

6. I will be able.
7. They are going to have.
8. I will play.
9. He is going to see.
10. I will buy.

Le passé composé *(Perfect tense)*

The 'passé composé' is used when talking about a completed action in the past. It is made up of two parts, an **auxiliary verb** ('avoir' or 'être') and a **past participle**.

Le participe passé *(Past participle)*

- With regular verbs ending in '-er', you change the '-er' to '-é': donner (*to give*), donné (*given*).
- With regular verbs ending in '-ir', you change the '-ir' to '-i': finir (*to finish*), fini (*finished*).
- With regular verbs ending in '-re', you change the '-re' to '-u': vendre (*to sell*), vendu (*sold*).

The 'Passé Composé' with 'avoir'

Most verbs use '**avoir**' as their auxiliary verb. Remember:

j' **ai**	nous	**avons**
tu **as**	vous	**avez**
il/elle **a**	ils/elles	**ont**

Donner (*to give*)	Finir (*to finish*)	Vendre (*to sell*)
j'ai donné (*I gave/have given*)	j'ai fini (*I finished/have finished*)	j'ai vendu (*I sold/have sold*)
tu as donné	tu as fini	tu as vendu
il/elle a donné	il/elle a fini	il/elle a vendu
nous avons donné	nous avons fini	nous avons vendu
vous avez donné	vous avez fini	vous avez vendu
ils/elles ont donné	ils/elles ont fini	ils/elles ont vendu

Common irregular verbs in the 'Passé Composé'

avoir (*to have*) – eu	j'ai eu (*I had*)
boire (*to drink*) – bu	j'ai bu (*I drank*)
connaître (*to know*) – connu	j'ai connu (*I knew*)
courir (*to run*) – couru	j'ai couru (*I ran*)
devoir (*to have to*) – dû	j'ai dû (*I had to*)
dire (*to say*) – dit	j'ai dit (*I said*)
écrire (*to write*) – écrit	j'ai écrit (*I wrote*)
être (*to be*) – été	j'ai été (*I was*)
faire (*to do*) – fait	j'ai fait (*I did*)
lire (*to read*) – lu	j'ai lu (*I read*)
mettre (*to put*) – mis	j'ai mis (*I put*)
ouvrir (*to open*) – ouvert	j'ai ouvert (*I opened*)
pouvoir (*to be able to*) – pu	j'ai pu (*I was able to*)
prendre (*to take*) – pris	j'ai pris (*I took*)
recevoir (*to receive*) – reçu	j'ai reçu (*I received*)
savoir (*to know*) – su	j'ai su (*I knew*)
tenir (*to hold*) – tenu	j'ai tenu (*I held*)
vivre (*to live*) – vécu	j'ai vécu (*I lived*)
voir (*to see*) – vu	j'ai vu (*I saw*)
vouloir (*to want*) – voulu	j'ai voulu (*I wanted*)

exam focus

Some verbs have irregular past participles. These need to be learnt.

The 'Passé Composé' with 'avoir' and agreement

If a verb takes '**avoir**' as its auxiliary verb there is **no agreement** between the subject and the past participle: il a donné, elle a donné, nous avons donné.

In other words, 'donné' does not change, no matter whether the subject is masculine singular ('he'), feminine singular ('she') or plural ('we').

Now test yourself. Translate these verbs.

1. She ate.
2. They did.
3. We had.
4. They wanted.
5. I played.

6. He has finished.
7. We gave.
8. She saw.
9. You read (pl.).
10. He said.

The 'Passé Composé' with 'être'

You have seen how to form the 'passé composé' with the auxiliary verb 'avoir' and the past participle. However, **13 verbs and all reflexive verbs** do not use 'avoir' as their auxiliary verb. They use the auxiliary verb 'être' instead.

Remember:

je **suis**		nous	**sommes**
tu es		vous	**êtes**
il/elle est		ils/elles	**sont**

Verbs that take 'être'

aller (*to go*)   allé (*gone/went*)
arriver (*to arrive*)   arrivé (*arrived*)
descendre (*to go down*)   descendu (*went down*)
entrer (*to enter*)   entré (*entered*)
monter (*to go up*)   monté (*went up*)
mourir (*to die*)   mort (*died*)*
naître (*to be born*)   né (*born*)*
partir (*to leave*)   parti (*left*)
rester (*to stay*)   resté (*stayed*)
retourner (*to return*)   retourné (*returned*)
sortir (*to go out*)   sorti (*gone out*)
tomber (*to fall*)   tombé (*fell*)
venir (*to come*)   venu (*came*)*

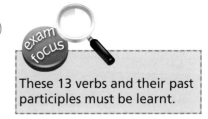

These 13 verbs and their past participles must be learnt.

* Note that these three verbs also have an irregular past participle.

All reflexive verbs also take 'être' as their auxiliary verb.

The 'Passé Composé' with 'être' and agreement

When, as is the case with these 13 verbs, the 'passé composé' is formed with 'être', the subject of the sentence and the past participle have to agree. Therefore, if the subject is:

- masculine singular, the past participle remains unchanged: il est allé.
- feminine singular, '-e' is added to the past participle: elle est allée.
- masculine plural, '-s' is added: ils sont allés.
- feminine plural, '-es' is added: elles sont allées.

This also applies for all reflexive verbs: il s'est lavé
                                              elle s'est lavée
                                              ils se sont lavés
                                              elles se sont lavées

Now test yourself. Translate these verbs.

1. She went.
2. I was born.
3. We arrived.
4. The girls entered.
5. The boys left.

6. He died.
7. He washed himself.
8. We went out.
9. She fell.
10. He stayed.

L'imparfait *(Imperfect tense)*

The imperfect tense is a past tense. It describes a **regular or habitual action in the past**. It is used when you are describing what someone was doing, used to do, or what was happening in the past, i.e. a scene, weather, emotions.

To form the imperfect tense:

- Take the first person plural in the present tense (the '**nous**' form).
- Remove the '**-ons**' ending from the verb.
- Add on the **imperfect endings**: -ais, -ais, -ait, -ions, -iez, -aient.

    donner: nous donnons – je donnais   *(I was giving)*

    finir: nous finissons – je finissais   *(I was finishing)*

    vendre: nous vendons – je vendais   *(I was selling)*

Donner *(to give)*	Finir *(to finish)*	Vendre *(to sell)*
je donnais *(I was giving)*	je finissais *(I was finishing)*	je vendais *(I was selling)*
tu donnais	tu finissais	tu vendais
il/elle donnait	il/elle finissait	il/elle vendait
nous donnions	nous finissions	nous vendions
vous donniez	vous finissiez	vous vendiez
ils/elles donnaient	ils/elles finissaient	ils/elles vendaient

Irregular verbs form the imperfect tense in the same way:

faire: nous faisons – je faisais

prendre: nous prenons – je prenais

The only exception to the above rule is 'être' *(to be)*. The imperfect of this verb is:

j'**étais**   nous **étions**

tu **étais**   vous **étiez**

il/elle **était**   ils/elles **étaient**

Use of the imperfect and 'Passé Composé'

When writing and speaking about the past you will often use a mixture of both the imperfect and the 'passé composé'. Sometimes it is difficult to be sure which one to use.

- **Imperfect:** continuous actions in the past and descriptions.

  j'allais   *(I used to go/was going)*

- **'Passé composé':** completed actions in the past.

  je suis allé   *(I went)*

Here are some phrases which show both tenses being properly used.

Hier matin **il faisait** (imp.) beau et **je suis allé** (p.c.) à la plage.
Yesterday morning the weather was nice and I went to the beach.

Je regardais (imp.) la télévision quand le téléphone **a sonné** (p.c.).
I was watching the television when the telephone rang.

Hier **j'ai vu** (p.c.) une fille qui **portait** (imp.) une jupe rouge.
Yesterday I saw a girl who was wearing a red skirt.

Now test yourself. Translate these verbs into either the 'imparfait' or the 'passé composé'.

1. I used to play.
2. He was selling.
3. She saw.
4. I used to live.
5. She arrived.

6. We went.
7. I was eating.
8. They used to have.
9. They bought.
10. She was going.

Le conditionnel (Conditional tense)

The conditional tense tells us **what would happen**. In English, we use two words: 'would give'. In French, we use only one: 'donnerais'.

The conditional tense is formed by combining the **stem of the future tense with the imperfect tense endings**. A good knowledge of the irregular future stems is therefore essential.

- Stem of future tense: donner, finir, vendr-
- Endings of the imperfect tense: -ais, -ais, -ait, -ions, -iez, -aient

Donner (to give)	Finir (to finish)	Vendre (to sell)
je donnerais (I would give)	je finirais (I would finish)	je vendrais (I would sell)
tu donnerais	tu finirais	tu vendrais
il/elle donnerait	il/elle finirait	il/elle vendrait
nous donnerions	nous finirions	nous vendrions
vous donneriez	vous finiriez	vous vendriez
ils/elles donneraient	ils/elles finiraient	ils/elles vendraient

The same applies for irregular verbs:

avoir: j'aurais (I would have)
aller: j'irais (I would go)
être: je serais (I would be)
faire: je ferais (I would do/make)

Conditional tense and 'si'

In English, the conditional tense is often used in sentences that begin with the word 'if'.

- There are two possible clauses with 'if':
  (a) If I had money, I would go to town.
  (b) If I have money, I will go to town.
- The same happens in French:
  (a) Si j'avais de l'argent, j'irais en ville.
  (b) Si j'ai de l'argent, j'irai en ville.

In clause (a) you use 'si' + **imperfect tense** + **conditional tense**.

In clause (b) you use 'si' + **present tense** + **future tense**.

Now test yourself. Translate the following verbs.

1. I would buy.
2. We would go.
3. They would sell.
4. She would have.
5. He would see.
6. They would come.
7. I would do.
8. We would eat.
9. You would like (pl.).
10. You would be (sing.).

La négation *(Negative)*

- To make a statement negative in French you put 'ne' before the verb and 'pas' after it:
    - ▶ il mange – il ne mange pas   *(he doesn't eat/he isn't eating)*
    - ▶ il mangera – il ne mangera pas   *(he will not eat)*
    - ▶ il mangeait – il ne mangeait pas   *(he wasn't eating)*
    - ▶ il mangerait – il ne mangerait pas   *(he wouldn't eat)*

- To make verbs negative in the 'passé composé' you put 'ne' before the auxiliary verb ('avoir' or 'être') and 'pas' after it:
    - ▶ je n'ai pas donné *(I did not give)*
    - ▶ nous n'avons pas fini *(we did not finish)*
    - ▶ nous ne sommes pas partis *(we did not leave)*
    - ▶ elles ne sont pas tombées *(they did not fall)*

Other negative phrases

ne … jamais *(never)*	Je ne sors jamais. *(I never go out.)*
ne … plus *(no more/no longer)*	Je ne joue plus. *(I no longer play.)*
ne … rien *(nothing)*	Je ne vois rien. *(I see nothing.)*
ne … guère *(hardly/scarcely)*	Je n'ai guère d'amis. *(I've scarcely any friends.)*
*ne … aucun *(not any)*	Je n'ai aucun livre. *(I don't have any books.)*
*ne … ni … ni *(neither … nor)*	Je ne bois ni café ni thé. *(I don't drink either tea or coffee.)*
*ne … personne *(nobody)*	Je ne vois personne. *(I don't see anyone.)*
*ne … que *(only)*	Je ne vois qu'un chien. *(I only see a dog.)*
*ne … nulle part *(nowhere)*	Nous ne l'avons vu nulle part. *(We didn't see him anywhere.)*

*Note that in the 'passé composé' the second part of these negatives comes **after** the past participle:

> Je **n**'ai vu **personne**.   *I have seen nobody.*
> Elle **n**'a vu **que** Jean.   *She only saw John.*

L'interrogation *(Interrogative)*

In French, there are three ways of asking questions that can be answered by 'yes' or 'no'.

- **Est-ce que … ?** A statement can be turned into a question by putting 'est-ce que' in front of it:
    - ▶ Tu sors. *You are going out.* ⇨ Est-ce que tu sors ? *Are you going out?*

- **Inversion:** this means turning something around. To make the question you invert the subject and the verb:

  ▶ Tu sors. *You are going out.* ⇨ Sors-tu ? *Are you going out?*

With inversion you need to add a '**-t-**' before 'il' or 'elle' if the verb ends in a vowel, otherwise the phrase would be difficult to pronounce:

  ▶ Il aime la musique. *He likes music.* ⇨ Aime-t-il la musique ? *Does he like music?*

- **Intonation:** a question can also be made by **raising the pitch** of your voice at the end of a statement. This way is only suitable for speech. The little phrase '**n'est-ce pas**' is also often added in spoken phrases. In written phrases, a question mark is added at the end of the sentence:

  ▶ Tu sors, n'est-ce pas ? *You are going out, aren't you?*

Question Words

Comment ? (*How?*)	Comment vas-tu ? *How are you?*
Combien ? (*How many?*)	Combien de frères as-tu ? *How many brothers do you have?*
Où ? (*Where?*)	Où habites-tu ? *Where do you live?*
Quand ? (*When?*)	Quand est ton anniversaire ? *When is your birthday?*
Quel ? (*What?*)	De quelle couleur est ... ? *What colour is ...?*
	Quel âge as-tu ? *How old are you?*
À qui ? (*Whose?*)	À qui est ce pull ? *Whose jumper is this?*
Pourquoi ? (*Why?*)	Pourquoi est-ce que Marie sort ? *Why is Marie going out?*

Note: With 'pourquoi' you must use 'est-ce que' or inversion.

L'impératif *(Imperative)*

Imperatives are **orders, requests or suggestions** like 'stand up', 'give me the book', 'let's go'.

In French there are three forms of the imperative:

- the '**tu**' form for friends and family,
- the '**vous**' form for people you do not know well or for more than one person, and
- the '**nous**' form, when you want to say 'let's' do something.

To form the imperative of a verb, take the '**tu**', '**nous**' and '**vous**' forms of the present tense and **drop the pronouns**.

tu finis (*you finish*)	Finis les devoirs. *Finish the homework.*
nous lisons (*we read*)	Lisons le livre. *Let's read the book.*
vous écoutez (*you listen*)	Écoutez la chanson. *Listen to the song.*

With the 'tu' form of '-er' verbs, you also **drop** the final '-s':

> tu vas (*you go*)   Va au cinéma. *Go to the cinema.*
> tu manges (*you eat*)   Mange la pomme. *Eat the apple.*

Impératifs irréguliers *(Irregular imperatives)*

The imperatives of the verbs 'avoir', 'être' and 'savoir' are irregular.

Avoir (*to have*)	Être (*to be*)	Savoir (*to know*)
aie (*have*)	sois (*be*)	sache (*know*)
ayons (*let us have*)	soyons (*let us be*)	sachons (*let us know*)
ayez (*have*)	soyez (*be*)	sachez (*know*)

Now test yourself. Translate these short phrases.

1. I never sleep.
2. I didn't go.
3. He has no more sweets.
4. I have no pencils or pens.
5. Do you play sport?
6. How many books?
7. When are you going out?
8. Let's go to the beach.
9. Paul, read the book.
10. What colour is the car?

Les pronoms *(Pronouns)*

A pronoun (e.g. he, she, it, them) takes the **place of a noun**: Marie drives a car. **She** drives a car.

Here, 'she' is the pronoun because it takes the place of the noun 'Marie'.

Les pronoms personnels *(Personal pronouns)*

Subject pronouns

These are the familiar pronouns that are learnt with verbs.

> **je** donne   (*I give*)
> **tu** donnes   (*you give*)
> **il/elle/on** donne (*he/she/one gives*)
>
> **nous** donnons   (*we give*)
> **vous** donnez   (*you give*)
> **ils/elles** donnent (*they give*)

Direct object pronouns

The object of a sentence is the noun or pronoun that the verb is acting on.

Je mange **la viande**. *I eat **the meat**.* ⇨ Je **la** mange. *I eat **it**.*

In this example, 'la viande' (*the meat*) is the object and 'la' (*it*) is the object pronoun.

Forms of the direct object pronoun are as follows.

me (*me*)	nous (*us*)
te (*you*)	vous (*you*)
le (*him/it*)	les (*them*)
la (*her/it*)	

Indirect object pronouns

Indirect objects are called indirect because the word for '**to**' comes before the object or the object pronoun:

Je donne la viande **à Marie**. *I give the meat **to Marie**.*

⇨ Je **lui** donne la viande. *I give the meat **to her**.*

In this example, 'à Marie' (*to Marie*) is the indirect object and 'lui' (*to her*) is the indirect object pronoun.

Forms of the indirect object pronoun are as follows.

me (*to me*)	nous (*to us*)
te (*to you*)	vous (*to you*)
lui (*to him/to her*)	leur (*to them*)

Les pronoms réfléchis (Reflexive pronouns)

These are the pronouns that are used with reflexive verbs.

me (*myself*)	je me lave
te (*yourself*)	tu te laves
se (*himself/herself/oneself*)	il/elle/on se lave
nous (*ourselves*)	nous nous lavons
vous (*yourself/yourselves*)	vous vous lavez
se (*themselves*)	ils/elles se lavent

The Pronoun 'y'

The pronoun 'y' has two uses.

- It can mean '**to there/to it**', replacing a place that has already been mentioned:
  ▶ Nous allons à la piscine. *We go to the pool.* ⇨ Nous y allons. *We go there.*

- It can replace a noun referring to things (but not to persons) in a sentence where the verb is followed by 'à':
  - ▶ Nous pensons aux examens. *We are thinking of the exams.* ⇨ Nous y pensons. *We are thinking about them.* (i.e. the exams)

The pronoun 'en'

The pronoun 'en' has two uses.

- It can mean 'from (out of) there':
  - ▶ Il a mis la main dans sa poche. *He put his hand in his pocket.*
  - ▶ Il en a sorti un billet. *He took a note out of it.*

- It can mean 'some', 'any', 'of it', 'about it', 'of them'. In this case it replaces 'de' and the noun that 'de' precedes:
  - ▶ Que penses-tu de ton cadeau ? *What do you think of your present?* ⇨ J'en suis ravie. *I am delighted about it.*
  - ▶ Elle a mangé du gâteau. *She ate some cake.* ⇨ Elle en a mangé. *She ate some (of it).*

L'ordre des pronoms *(Order of pronouns)*

In French, pronouns are normally placed immediately before the verb:

Je la vois. *I see her.*

If more than one object pronoun and/or 'y' and 'en' are used in the same sentence, they have to be put in the following order.

me				
te	le			
se	la	lui	y	en
nous	les	leur		
vous				

In other words 'me, te, se, nous' and 'vous' come before 'le, la' and 'les', which come before 'lui' and 'leur', which come before 'y', which comes before 'en'.

The following examples show this order at work:

Il reçoit la lettre.   *He receives the letter.*
Il **la** reçoit.   *He receives it.*

Il donne le livre à Marie.   *He gives the book to Marie.*
Il **le lui** donne.   *He gives it to her.*

Il ne comprend pas la blague.   *He doesn't understand the joke.*
Tu dois **la lui** expliquer.   *You have to explain it to him.*

Elle nous a déjà parlé.   *She already spoke to us.*
Elle **nous en** a déjà parlé.   *She already spoke to us about it.*

Now test yourself. Replace the underlined words with the correct pronoun.

1. Il lit <u>la lettre</u>.
2. Elle donne le livre <u>à Paul</u>.
3. Elle mange <u>du pain</u>.
4. Ils viennent <u>de Dublin</u>.
5. Je vais <u>au cinéma</u>.
6. Nous verrons <u>mes cousins</u> en ville.
7. Je vois <u>la maison</u>.
8. Ma mère est <u>en France</u>.
9. Elle donne son cahier <u>à Marie</u>.
10. Tu aimes <u>Pierre</u>.

Les pronoms relatifs *(Relative pronouns)*

A relative pronoun is a word that **replaces a noun and links two parts of a sentence**. The most common relative pronouns in French are '**qui**', '**que**' and '**dont**'.

- 'Qui' and 'que' translate as 'who', 'which', 'that' or 'whom' in English.

   (a) 'Qui' is the subject of the verb following it.
      'Qui' is never shortened.

   (b) 'Que' is the object of the verb following it.
      'Que' shortens to 'qu'' before a vowel or a silent 'h'.

   ▶ La fille qui joue est très grande.   *The girl who is playing is very tall.*
   ▶ La fille qui aime mon frère est jolie.   *The girl who likes my brother is pretty.*
   ▶ Le livre que tu lis est excellent.   *The book that you are reading is excellent.*
   ▶ Le livre qu'elle lit est excellent.   *The book that she is reading is excellent.*

   Note: If you find it difficult to know whether to use 'qui' or 'que', remember that 'qui' will always be followed by a verb, whereas 'que' will be followed by a personal pronoun.

- 'Dont' means 'whose', 'of whom' or 'of which'. It is used instead of 'qui' or 'que' with verbs that are followed by 'de':
   ▶ La fille dont je te parlais est jolie.   *The girl I was telling you about is pretty.*

Les pronoms possessifs *(Possessive pronouns)*

A possessive pronoun tells us **to whom a thing belongs**. It must **agree in number and in gender** with the noun it is replacing:

   J'aime ton chien, mais je préfère **le mien**.   *I like your dog but I prefer mine.*
   Ma maison est en ville, où est **la tienne** ?   *My house is in town, where is yours?*

Masculine Singular	Feminine Singular	Masculine Plural	Feminine Plural
mine – le mien	la mienne	les miens	les miennes
yours – le tien	la tienne	les tiens	les tiennes
his/hers/its – le sien	la sienne	les siens	les siennes
ours – le nôtre	la nôtre	les nôtres	les nôtres
yours – le vôtre	la vôtre	les vôtres	les vôtres
theirs – le leur	la leur	les leurs	les leurs

Les pronoms toniques *(Disjunctive pronouns)*

Disjunctive pronouns stand on their own and are not connected to the verb.

Forms are as follows.

moi *(me)*	nous *(us)*
toi *(you)*	vous *(you)*
lui *(him)*	eux *(them)* (m.)
elle *(her)*	elles *(them)* (f.)
soi *(oneself)*	

They are used:

- **after prepositions:** avec nous *(with us)*; chez moi *(at my house)*.
- **for emphasis:** Moi, je déteste le sport. *Me, I hate sport.*
  Lui, il est très doué. *He is very talented.*
- **in comparisons:** Elle est plus petite que toi. *She is smaller than you.*
  Il est plus intelligent qu'elle. *He is more intelligent than her.*
- **to express possession:** Ces livres sont à nous. *These books are ours.*
  Cette maison est à elle. *This house is hers.*
- **before 'même' to mean 'self' or 'selves':** moi-même *(myself)*; eux-mêmes *(themselves)*.

Now test yourself. Translate the following sentences.

1. The boy who is reading is Irish.
2. He has a dog who is brown.
3. The girl that I am talking about is tall.
4. Your car is green, mine is red.
5. My sister is tall, his is small.
6. Our dad is a teacher, yours is a doctor.
7. She is taller than you.
8. You, you love swimming.
9. He is coming with us.
10. He works with me.

6 ⬡ Solutions

1. Oral exam (*Épreuve orale*)

Communication (p. 4)

1. Bonjour, Monsieur.
2. Oui, bien sûr.
3. Non, pas du tout.
4. C'est formidable.
5. Pouvez-vous répéter la question, s'il vous plaît?
6. Je ne sais pas.
7. À mon avis, ça dépend.
8. Je suis désolé(e).
9. Je ne comprends pas la question.
10. C'était super.

Structures (p. 7)

1. Je vais au cinéma.
2. J'ai joué au foot.
3. J'étudie sept matières.
4. Vous aimez la musique ?
5. Ma sœur a quatorze ans.
6. Qu'est-ce que vous avez fait hier ?
7. Je vais aller à la piscine.
8. Vous sortez le weekend ?
9. Je me suis levé(e) à huit heures.
10. Vous allez travailler pendant les vacances ?

Vocabulary (p. 14)

1. Le jeudi huit juillet.
2. Le dimanche quinze février.
3. Soixante-seize et quatre-vingt-huit.
4. Un pull gris.
5. Aujourd'hui il fait froid.
6. Il y a des nuages.
7. Demain à sept heures moins le quart.
8. Hier à onze heures et demie.
9. Du poulet, des pommes de terre et des petits pois.
10. Je fais de la physique, de l'histoire et du dessin.

Le document (p. 17)

1. J'ai préparé un document.
2. J'ai choisi ce document parce que j'adore la lecture.
3. Ma mère a pris la photo l'année dernière.
4. À gauche il y a un petit magasin.
5. C'était une journée formidable.
6. Yves Navarre a écrit le livre.
7. Dans l'article, il s'agit de camping.
8. J'ai trouvé l'article dans un journal français.
9. Dans la photo on voit mes amis.
10. Ça m'intéresse beaucoup.

CD script

 *Track 7*

Sample Document (p.18)

Examinateur:	Est-ce que vous avez un document ?
Élève:	Oui Monsieur, j'ai une photo, la voilà.

- Merci, alors parlez moi un peu de cette photo.
- C'est une photo de moi et un groupe de jeunes enfants âgés de sept à dix ans. La photo était prise l'année dernière à un centre d'équitation près de chez moi. J'ai travaillé dans le centre comme monitrice. Dans la photo on peut voir moi et trois petites filles pendant une de leurs leçons. C'est la fin de leçon et elles sont en train de faire des exercices.

- Est-ce que vous avez aimé le travail ?
- Oui, j'ai beaucoup aimé le travail. Les enfants avaient beaucoup d'énergie, alors parfois c'était très fatigant mais ils étaient aussi très amusants. Cette photo était prise pendant un stage qui a duré une semaine et les enfants ont fait beaucoup de progrès pendant la semaine. C'était bien de voir ça.

- Décrivez une journée typique pour vous pendant le stage.
- Normalement les enfants sont arrivés tous les jours à dix heures et ils étaient divisés selon leur âge et leur compétence. Il y avait trois groupes et moi j'ai travaillé avec le groupe le plus jeune. Il y avait six élèves dans mon groupe et ils étaient tous des débutants. Le matin ils ont brossé les chevaux et nous avons fait des jeux pour leur apprendre à seller les chevaux et s'occuper d'eux. L'après-midi il y avait une leçon et ils ont appris à monter sur les chevaux, ils sont allés au pas et au trot et nous avons fait beaucoup de jeux. La plupart des leçons étaient dehors mais quand il ne fait pas très beau il y a un grand manège couvert.

- À quel âge est-ce que vous avez commencé l'équitation ?
- Moi, j'ai commencé l'équitation à l'âge de huit ans et j'ai fait mon premier examen à l'âge de dix ans.

- Et qu'est-ce qu'il faut faire pour devenir monitrice d'équitation ?
- Il faut faire beaucoup d'examens. Il y a huit examens en tout, mais il faut passer six examens et avoir plus de seize ans pour donner des cours à des débutants. J'ai commencé à travailler dans le centre équestre l'été dernier et maintenant je travaille tous les samedis. J'adore le travail et je reçois trente euros chaque semaine. On me donne aussi des cours quand j'en ai besoin. Cet été après le Bac je vais faire mon septième examen.

- Et est-ce que vous avez un cheval ?
- Non, malheureusement je n'ai pas de cheval en ce moment. Cette année je n'ai pas assez de temps pour s'occuper de mon propre cheval. Quand j'étais plus jeune j'avais des poneys et ma petite sœur a un poney qui s'appelle Rocky, il est très mignon.

- Décrivez les trois filles dans la photo.
- Elles s'appellent Zoe, Abbie et Ella. Elles ont dix ans, huit ans et sept ans et elles sont très bavardes et mignonnes. Elles ont toutes des cheveux bruns. Zoe et Abbie sont des sœurs. Dans la photo elles portent des pantalons d'équitation, des bottes, des gilets de protection et des casques. Dans le centre les enfants ne peuvent pas monter sur un cheval sans un gilet pour protéger le dos et un casque. Moi je suis au centre de la photo à côté du petit poney brun et blanc.

- Et qui a pris la photo ?
- La mère de Zoe et Abbie a pris la photo et elle me l'a donnée le dernier jour du stage.

- Merci beaucoup, Marie.
- Merci, Monsieur.

2. Reading comprehension *(Compréhension écrite)*

Grammar Guidelines (p. 42)

1. un verbe pronominal – je me repose
2. une préposition – avec
3. une négation – n'avons pas
4. une conjonction – et
5. un adjectif possessif – mes or ma
6. un verbe au passé composé – suis allé

Past Exam Questions: Comprehensions to Answer in English (p. 43)

Words or phrases which are not necessary for full marks are enclosed in round brackets.

Comprehension 1 (40 marks – 10 × 4) (p. 44)

1. Either one of: serve chips and hamburgers; defrost steaks in the kitchen.
2. Either one of: present yourself at your local Quick or McDonald's with your CV and an identity card; contact the Fédération Nationale de l'Industrie Hôtelière on 01.53.00.14.14.
3. A computer.
4. Any one of: friendly; patient; polite.
5. (i) supervise evening study.
   (ii) supervise when the students come out of school.
6. 975,67 €.
7. Pick the children up from school.
8. Sixteen.
9. Either one of: local newspapers/press; the website www.youpala.com.

Comprehension 2 (40 marks – 10 × 4) (p. 46)

1. 15 litres.
2. By bike/bicycle.
3. Paper.
4. (i) Fruit.
   (ii) Cheese.
5. It is dirty.
6. Once a day.
7. Any two of: television; video player; stereo/hi-fi.
8. (iii) the Earth.

Comprehension 3 (40 marks – 10 × 4) (p. 48)

1. Any two of: food; accommodation; transport.
2. Half fare/price on national coaches/buses.
3. Beaches/seaside.
4. Youth hostels and camping.
5. (To rebuild the) economy.

6. Train and boat.
7. Any two of: young; dynamic; in the south; Swedish; one of 24,000 islands.

Comprehension 4 (40 marks – 10 × 4) (p. 50)

1. (i) Any two of: houses; shops; mills.
   (ii) They will not forget it.
2. Entry/the visit is free.
3. 02 51 57 77 14.
4. Any one of: boat trips; botanical walks/paths; fishing.
5. Castles/châteaux.
6. Daily family life/war.
7. On foot and by bike/bicycle.

Comprehension 5 (40 marks – 10 × 4) (p. 51)

1. Any two of: a sweet; cream; a drink; liqueur; dark/plain/black (chocolate); milk (chocolate); white (chocolate); simple; sophisticated.
2. Possible answers: on the back of bars of dark chocolate; on the back of the wrapping/packet of bars of dark chocolate; on the wrapping/packets of bars of dark chocolate (3 marks); bars of dark chocolate (2 marks); bars of chocolate (1 mark).
3. Any two of: Easter; Christmas; New Year (New Year's Day); All happy occasions of life; feasts/feast days/festivals.
4. Advantage: gives energy/energetic.
   Disadvantage – either of: fattening; one must eat it in moderation.
5. (i) (c) fights tiredness.
   (ii) Any two of: anti-stress; reduces stress; gives pleasure; the organism makes its own morphine; stimulates a feeling of happiness; slows down the production of adrenaline.

Comprehension 6 (40 marks – 10 x 4) (p. 54)

1. To use public transport.
2. Near the métro (station Boulogne-Pont de Saint Cloud).
3. (The) trees.
4. Credit cards.
5. Any correct mention of two of the following (4 marks each): recorders/recording devices; cameras/photography (camcorders – 0 marks); animals/pets.
6. To pay a bit extra/a supplement/a deposit.
7. Online/on the ticket website/on the internet.
8. (Two-day) ticket/billet 2 jours.
9. Registration number/(car) number plate.

Past exam questions: Comprehensions to answer in French (newspaper/magazine extract) (p. 55)

Comprehension 1 (40 marks – 10 x 4) (p. 56)

Penalise extra material to a maximum of 1 mark. In questions 1–7, if answered in English allow half marks only. Do not penalise mistakes in grammar where manipulation is required.

1. (Le groupe/il va/ils vont donner deux/des) concerts (en France, à Clermont-Ferrand et à Lyon).
2. Any **one** of:
    (Car) notre musique commence à être très appréciée aussi en Italie.
    Nous sommes … en Italie. (full sentence)
    Notre musique … appréciée. (3 marks)
3. (Nous avons sorti un album en anglais parce que, comme ça,) ceux qui ne parlent pas allemand pourront comprendre nos paroles.
4. Any **two** of:
    (Ils ont fait) énormément de concerts.
    Tom s'est beaucoup amélioré à la guitare.
    Ils maîtrisent vraiment leur son/leur manière de jouer.
    Ils progressent comme un groupe doit progresser pour assurer devant ses fans.
    Les fans sont de plus en plus nombreux.
5. Any **one** of:
    Ils aiment leurs textes.
    Ils aiment leur musique.
    Ils se reconnaissent dans leurs textes.
    Ils s'y reconnaissent.
6. Any **one** of:
    Ils suivent des cours par correspondance.
    Ils font/par des cours de correspondance.
    (Des cours) par correspondance. (2 marks)
7. (ii) Parce qu'ils portaient des vêtements différents.
8. Any **two** of:
    They sing in English.
    They give lots of concerts.
    They have just released a new single.
    Two concerts are planned in France.
    A huge concert is planned in Milan.
    Their music has begun to be appreciated in Italy also.
    They appeal to young and older people.
    They receive fan mail.
    They feel they are progressing as a group should progress.
    They don't have time for school.

Comprehension 2 (40 marks – 10 x 4) (p. 58)

1. Any **one** of:
    (Ils vont passer le réveillon de la Saint-Sylvestre) dans un restaurant/au *Relais des Chevaliers*.
    La petite bande … restaurant.
    Le couple … *Chevaliers*.
    Avec … *Chevaliers*. (3 marks)
    René … décembre. (2 marks)

Sur la piste de danse. (2 marks)

La piste de danse. (1 mark)

2. (Une) soixantaine (de personnes).

Any mention of 'soixante'. (2 marks)

3. (iv) magicien.

4. (René et Roberte ne comptent pas) quitter les lieux avant cinq ou six heures (du matin).

Avant cinq ou six heures. (2 marks)

Cinq ou six heures du matin. (2 marks)

Cinq ou six heures. (0 marks)

5. (i) (Ils vont fêter la Saint-Sylvestre) chez Jules/dans le grand appartement de Jules.

À la maison de Jules.

Le grand appartement de Jules. (3 marks)

Les meubles ... table. (2 marks)

Apartment. (1 mark)

Avec Jules. (0 marks)

(ii) Any **one** of: dansera; (ne) sera (pas); seront.

6. One word extra ... minus one mark.

More than one extra word ... award 0 marks.

(Elle est) Russe/la Russie/Française/la France.

7. Any **one** of:

(Ils sont allés dans) la maison de la grand-mère de Maud.

Chez la grand-mère de Maud.

(Ils se sont tous embarqués ...) la Côte d'Azur.

(Dans) le sud de la France.

(L'année dernière la petite bande avait cherché l'aventure) un peu plus loin.

La grand-mère de Maud. (3 marks)

La maison de la grand-mère. (2 marks)

8. **Two** correct points required, one referring to each age group: 4 + 4 marks

– René and Roberte/the older people go to a restaurant (with some/sixty friends)

– Older people like to eat well.

– Older people like to dance/sing.

– Sara and her friends/young(er) people go to Jules' apartment for a meal.

– Young(er) people like to keep the cost down.

– Young(er) people drink (cheap) champagne.

– Last year young(er) people went to the south of France.

Comprehension 3 (40 marks – 10 x 4) (p. 60)

1. (i) Any one of:

(Il faut/on doit) s'inscrire dans une auto-école.

Après avoir réussi cet examen, on passe à la phase conduite.

Réussir à un examen.

D'abord il y a l'apprentissage du Code de la route/(et la préparation à son examen).

(En général, il faut autour de) deux mois de cours (pour se présenter à l'examen du code).

(ii) (d) Vingt heures.

2. Any one of:
   Voici deux sites pour vous sensibiliser aux dangers de la route. Consultez-les !
   www.preventionroutiere.asso.fr
   www.securiteroutiere.equipement.gouv.fr
   L'Internet.
   Deux sites.

3. Any two of:
   Patient; pédagogue.
   (Âgé d')au moins 28 ans.
   Compter déjà trois ans de suite sans accident.
   Avoir l'accord de la compagnie d'assurances du propriétaire du véhicule.
   28 ans. (2 marks)
   Avoir l'accord de la compagnie d'assurances. (2 marks)

4. Any two of: Tous vos/ses/mes trajets; date; heure; lieu; conditions; montagne;
   pluie; autoroute; (état de la) circulation; embouteillages.
   Pendant la formation ... tout doit y figurer.
   Vos/les trajets. (2 marks)

5. Any one of: soigneusement; régulièrement; respectivement; ensuite; déjà; pas;
   autant; alors; en général; à tout moment; puis; proche de.

6. Any two of the following for 4 + 4 marks:
   They have to enrol in a driving school.
   They learn the rules of the road before driving.
   First twenty hours of driving spent with monitor/tutor/instructor.
   Have to drive 3,000 km in one year minimum and 3 years maximum to validate training.
   Carefully note details of journey in a notebook.
   While learning and for 2 years after receiving licence speed is limited.
   Two months of classes before exam on rules of the road.
   Any correct reference to training.

Past exam questions: Comprehensions to answer in French (Literary extract) (p. 61)

Comprehension 1 (40 marks – 10 × 4) (p. 61)

1. (i) Any one of:
   J'aimais les retours à la maison de mes frères et sœurs.
   C'était la vraie fête.
   Ils avaient tous plein d'histoires de dortoirs, de profs et de toutes sortes d'activités
   extraordinaires.
   Nous les petits, on les écoutait bouche bée, on était au spectacle.
   (ii) (b) formidable.
   (iii) Either of:
   Je brûlais d'impatience.
   Je me rêvais pensionnaire.

2. (i) Il a dû passer l'examen pour obtenir une bourse (à Saint-Malo).
    (ii) Dix ans et demi.
    (iii) Either of: en octobre; à la rentrée.
3. Any **two** of: jouer dans la cour; retrouver les poules; aller chercher le lait à la ferme; se promener à la forêt.
4. Any **two** relevant points determined by the text (4 + 4), e.g.:
    Yes, he imagined boarding school was a wonderful place.
    He thought boarding school was full of adventures and secrets.
    He believed boarding school to be a magical life in town.
    He loved hearing stories about boarding school.
    He couldn't wait to go to boarding school.
    He was very excited about starting boarding school.
    Boarding school had a big dormitory with cold metal beds.
    He found that boarding school was a sad/depressing place.
    He knew nobody apart from his brother.
    He is homesick and prays to God to send him home.

Comprehension 2 (40 marks – 10 × 4) (p. 64)

1. (i) (Elle l'attend depuis) une heure.
    (ii) (b) colère.
    (iii) (d) faire savoir à sa mère où elle était.
2. (i) (d) satisfaction.
    (ii) Elle ne le lui a pas demandé/elle n'a pas demandé/ils ne se connaissent pas encore assez.
3. (Elle avait compris qu') Anne se sentait seule (depuis le déménagement).
    Elle s'inquiétait pour sa fille qui, avant, avait été si populaire à Toulouse.
    Elle était bonne mère.
4. (i) (Parce que) le téléphone a sonné/elle a couru pour répondre au téléphone.
    (ii) Any **one** of:
        Sa mère allait parler pendant au moins une demi-heure.
        Sa mère est/était bavarde.
        Sa mère a couru pour répondre au téléphone.
        Là s'est arrêté l'interrogatoire parce que le téléphone a sonné.
5. Any **two** relevant points determined by the text (4 + 4), e.g.:
    Good relationship because mother was worried when Anne was not at home.
    Mother wanted to know where she was.
    Questioned her about the boy.
    Mother was waiting for her.
    Concerned about what his parents did.
    Worried about him smoking.
    Happy that Anne had a new boyfriend.
    Good mother because she worries about Anne feeling lonely since they moved.
    Not a great relationship – Anne does not reveal all to mother.

Mother is distrusting of Anne – questions her a lot.

Anne admits that her mother tries to be a good mother and worries about her. She loves her.

Comprehension 3 (40 marks – 10 × 4) (p. 65)

1. Quand elle était sûre que ses parents dormaient. (full marks)

    Quand j'étais sûre que mes parents dormaient. (3 marks)

    (Il ne passait jamais personne dans ce quartier) après vingt-deux heures. (3 marks)

2. Any **two** of:

    Je descendais silencieusement l'escalier.

    Ouvrir sans bruit la porte (verte).

    J'étais tranquille.

    (Si des noctambules me dérangeaient) je rentrais vite (me réfugier dans l'entrée).

    Je refermais sur moi la porte (en attendant qu'ils aient disparu).

3. (i) (La fente de) la boîte aux lettres.

    (ii) Quand elle voyait que Léa/la narratrice n'était pas dans sa chambre.

    Quand elle voyait que je n'étais pas là. (3 marks)

    Elle était affolée/inquiète. (2 marks)

4. (i) Any **one** of:

    Aucun bruit ne circulait sur eux.

    On n'en disait rien de spécial dans le quartier.

    On les ignorait.

    Ils ne recevaient jamais de courrier.

    Aucune lettre ne dépassait de la boîte (pour effleurer le pardessus d'un passant).

    (ii) Either of:

    (Elle/Jasmine travaillait) à l'usine.

    (Elle vivait) à l'usine.

    (iii) Either of:

    Les mains toutes blessées (et rugueuses à cause de son travail).

    (Elle avait) les paumes teintes au henné.

5. Any **two** relevant points acceptable for full marks, e.g.:

    No, because Léa used to make sure her parents were sleeping before going downstairs to talk to Malik.

    No, because she used to deceive her mother regarding her absence from her bedroom.

    No, because she found Jasmine to be more beautiful than her own mother.

    Yes, because her mother believed her.

    Yes, because her mother worried about her when she wasn't in her bedroom.

    Yes, because of her manner of addressing her mother.

3. Written expression *(Expression écrite)*

Section A (a): Cloze tests (p. 69)

Exam tips

1.	en	6.	pas
2.	une	7.	ta
3.	de	8.	fait
4.	suis	9.	au
5.	nous	10.	jouer

Cloze test solutions

30 marks (10 gaps for 3 marks each). Where the word has been copied incorrectly, including accents, deduct one mark.

Cloze test 1 (p. 70)

1.	mixte	6.	heures
2.	porter	7.	à
3.	rouge	8.	demi
4.	pas	9.	de
5.	en	10.	sont

Cloze test 2 (p. 71)

1.	lettre	6.	belle
2.	cherche	7.	touristes
3.	depuis	8.	que
4.	en	9.	ma
5.	camping	10.	font

Cloze test 3 (p. 72)

1.	moi	6.	différentes
2.	ferai	7.	pas
3.	séjour	8.	manger
4.	ta	9.	tennis
5.	couches	10.	vite

Section A (b): Form-filling (p. 75)

1. J'ai deux frères et une sœur.
2. J'ai dix-huit ans.
3. Je suis en terminale.
4. J'adore le foot, la natation et la musique.
5. J'étudie le français depuis cinq ans.
6. Mon père est professeur.
7. J'aimerais rencontrer des gens nouveaux.
8. J'ai déjà travaillé comme garçon.
9. Je m'intéresse aux voyages.
10. Je n'ai pas de besoins médicaux.

Section B (a): Messages (p. 81)

1. Je te téléphonerai ce soir.
2. Ne m'attendez pas.
3. Je serai de retour à …
4. Marie vient de téléphoner.
5. Je ne peux pas venir.
6. Nous nous retrouverons devant la piscine.
7. Je vais rejoindre mes amis.
8. Veux-tu venir avec nous ?
9. Il va rappeler demain.
10. Je suis passé(e) chez toi.

Section B (b): Postcards (p. 85)

1. Me voici à Galway.
2. Le soleil brille tous les jours.
3. Je suis arrivé(e) ici mardi dernier.
4. Je serai de retour la semaine prochaine.
5. J'ai rencontré des jeunes très sympas.
6. Je sors tous les soirs.
7. Nous restons dans un camping.
8. J'apprends à nager.
9. J'irai en ville demain acheter des souvenirs.
10. Amuse-toi bien en vacances.

Section C (a): Diary entries (Le journal intime) (p. 89)

1. Nous nous entendons très bien.
2. Je fais de mon mieux.
3. Voilà, c'est tout pour aujourd'hui.
4. J'ai rencontré un garçon très sympa.
5. Je viens de passer une journée horrible.
6. J'en ai assez de mes parents.
7. Je me suis bien amusé(e) à la plage.
8. Ce que je déteste le plus, c'est la nourriture.
9. Que je suis fatigué(e).
10. Je me couche.

Section C (b): Formal letters (p. 95)

1. J'ai l'intention de passer quinze jours au camping à Biarritz.
2. Je voudrais retenir une chambre avec un grand lit et une salle de bains.
3. Veuillez nous indiquer le tarif de ce séjour.
4. Je voudrais poser ma candidature au poste de serveur dans votre hôtel.
5. J'ai de l'expérience pour ce genre de travail.
6. Pourriez-vous m'indiquer le montant du salaire ?
7. Veuillez trouver ci-joint mon CV.
8. Veuillez m'envoyer des renseignements et un plan de la ville.
9. J'aimerais savoir également quels sont les jours de marché.
10. Je ne suis pas du tout satisfait(e) du service dans votre hôtel.

4. Listening comprehension (Compréhension orale)

Listening Comprehension (100 marks).

Vocabulary (p. 101)

Track 8

1. le mercredi, huit février *Wednesday, the 8th February*
2. bleu foncé *dark blue*
3. le premier août *the 1st of August*
4. le printemps *spring*
5. à trois heures moins le quart *at 2.45*
6. à huit heures et demie *at 8.30*
7. demain matin *tomorrow morning*
8. maintenant *now*
9. la semaine prochaine *next week*
10. une quinzaine *a fortnight*

Les nombres et les quantités/La météo (p. 102)

1. un tiers *one-third*
2. une douzaine *a dozen*
3. Il fera chaud. *It will be hot.*
4. Le ciel sera couvert. *It will be overcast.*
5. un orage *a storm*
6. deux fois *twice*
7. au nord du pays *in the north of the country*
8. on prévoit *we forecast*
9. Le vent sera fort. *The wind will be strong.*
10. en moyenne *on average*

Les actualités (p. 104)

1. un témoin *a witness*
2. les sans-abri *the homeless*
3. une agression *an attack*
4. un tremblement de terre/un séisme *an earthquake*
5. une guerre *a war*
6. une amende *a fine*
7. se noyer *to drown*
8. voler *to steal*
9. selon un sondage *according to a survey*
10. des renseignements *information*

Les accidents de la route (p. 105)

1. conduire *to drive*
2. tuer *to kill*
3. un poids lourd *a heavy goods vehicle*
4. le carrefour *the crossroads*
5. un piéton *a pedestrian*
6. les pompiers *the fire brigade*
7. gravement/grièvement blessé *seriously injured*
8. à toute vitesse *at full speed*
9. en état d'ivresse *under the influence of alcohol*
10. l'accident s'est produit *the accident happened*

Le sport (p. 106)

1. une médaille d'or *a gold medal*
2. L'Irlande a gagné. *Ireland won.*
3. un titre mondial *a world title*
4. des soldes *the sales*
5. Les prix sont imbattables. *Prices are unbeatable.*
6. disponible *available*

7. à mon avis *in my opinion*
8. je me rappelle *I remember*
9. mon enfance *my childhood*
10. Bonne chance. *Good luck.*

Le travail (p. 108)

  Track 10

1. un coiffeur *a hairdresser*
2. un fermier/un agriculteur *a farmer*
3. un homme d'affaires *a businessman*
4. un vendeur *a salesman*
5. une infirmière *a nurse*
6. être licencié *to be fired*
7. être au chômage *to be unemployed*
8. un jour férié *public/bank holiday*
9. l'allocation chômage *unemployment benefit*
10. une bourse *a grant*

Le divertissement (p. 108)

Now test yourself. Translate the following vocabulary.

1. une émission *a programme*
2. les informations *the news*
3. un chanson *a song*
4. un film policier *a thriller*
5. un ordinateur *a computer*
6. un écrivain *a writer*
7. les auditeurs *the listeners*
8. enregistrer *to record*
9. diffuser *to broadcast*
10. être célèbre *to be famous*

Past exam papers (p. 109)

2009 Solutions

Listening Comprehension (100 marks).

Note: Candidates are not required to give the exact wording of the solutions proposed in this marking scheme. If the correct sense is given, they can obtain full marks for their answer. If both a correct and incorrect answer are given – award 0 marks.

Section I (20 marks) (p. 109)

 *Track 11*

1. (i) Her sister. (5 marks)
2. Returns them/takes them (back) to the shop (where he bought them). (5 marks)
Recycles them. (3 marks)
3. (i) (c) Seven or eight. (5 marks)
   (ii) (d) She puts them in the bin. (5 marks)

Section II (20 marks) (p. 109)

Track 12

1. 4 hours. (5 marks)
2. (i) got up at night to watch him swim. (5 marks)
3. (ii) recognise him everywhere. (5 marks)
4. (i) The time he spends in the water. (5 marks)

Section III (20 marks) (p. 110)

Track 13

1. (i) on the ground. (5 marks)
2. (i) One of:
   - Last week. (5 marks)
   - For her 18th/birthday. (5 marks)
   - * For his birthday. (0 marks if you don't mention 18th)
   (ii) (b) Telling her mother about it. (5 marks)
3. The wedding of her (elder) brother. (5 marks)
   * Wedding/brother. (3 marks if you don't mention elder)

Section IV (20 marks) (p. 110)

Track 14

1. To a (night) club/disco/clubbing. (5 marks)
2. (iii) A homeless people's association. (5 marks)
3. (iii) She prefers to stay in 3-star hotels. (5 marks)
4. (iv) A music shop. (5 marks)

Section V (20 marks) (p. 111)

Tracks 15/16/17

1. (iii) Giving school bags to children. (5 marks)
2. (i) a plane hijack. (5 marks)
3. (i) 1st April. (5 marks)
   (ii) (b) A 25 euro fine. (5 marks)

2009 CD Script

Section I

Track 11

Interviewer :	Lucie, qu'est-ce que vous faites de vos anciens téléphones portables ?
Lucie :	Eh bien, j'ai un nouveau portable depuis trois jours mais comme mon ancien téléphone marche encore, je l'ai donné à ma petite sœur. Elle était vraiment contente.
Interviewer :	Et vous, Raymond ?
Raymond :	Mes vieux portables ? En général, je les rends au magasin où je les ai achetés. C'est leur responsabilité. Heureusement qu'ils recyclent les portables. C'est bien pour l'environnement.
Interviewer :	Et qu'est-ce que vous en faites, Clara ?
Clara :	J'ai eu sept ou huit portables depuis l'âge de treize ans. Au début, je les laissais dans ma chambre dans un tiroir mais ensuite, j'ai décidé que ce n'était pas la peine puisqu'ils ne fonctionnaient plus. Alors maintenant, je ne les garde plus. Je les mets directement à la poubelle.

Section II

 Track 12

Interviewer :	Alain Bernard, parlez-moi de votre entraînement.

Interviewer : Alain Bernard, parlez-moi de votre entraînement.

Alain : Eh bien ! J'ai des journées très chargées ! Normalement, je m'entraîne quatre heures par jour dans la piscine, plus une heure de renforcement musculaire, suivi d'une séance de gymnastique. Parfois, je me demande où est le plaisir ? Le lundi soir, je n'aime pas penser au reste de la semaine.

Interviewer : Que ressentiez-vous sur le podium après avoir gagné votre médaille ?

Alain : Ah ! Quand j'étais sur le podium et que j'écoutais la Marseillaise, j'étais très fier. Je sais que beaucoup de Français se sont levés la nuit pour nous regarder nager. Il y a huit ans, personne ne l'aurait fait.

Interviewer : Depuis les Jeux Olympiques, votre popularité a grimpé.

Alain : Oui, mais il y a des inconvénients, malheureusement. Je n'ai presque plus de vie privée. Je suis reconnu partout. On me klaxonne dans la rue et tout le monde veut savoir ce que je fais et avec qui je suis, mais je vais devoir m'adapter.

Interviewer : Que signifie votre tatouage Alain ?

Alain : Je l'ai fait il y a cinq ans. C'est un requin. Je l'aime beaucoup. D'abord, parce que ça correspond à ma personnalité, mais aussi parce que ça symbolise tout le temps que je passe dans l'eau.

Section III

 Track 13

Émilie : Oh là là, Fabien ! Je ne trouve pas mon sac à main.

Fabien : Calme-toi, Émilie ! Attends, essaie de te rappeler quand tu l'as vu pour la dernière fois.

Émilie : Bon ! OK ! Alors, j'avais mon sac à quatorze heures trente quand j'étais dans un café au centre-ville avec mon amie Colette. Je me rappelle l'avoir ensuite posé par terre près du mur mais après ça, sincèrement, je ne me rappelle plus.

Fabien : Mais tu as l'air toute pâle, pourquoi ? Il y a quelque chose d'important dans ton sac ?

Émilie : Tu ne peux pas imaginer. Il y a la montre en or que maman m'a offerte juste la semaine dernière pour mon dix-huitième anniversaire. Le reste n'a pas de valeur. Oh là là, qu'est-ce que je vais faire ? J'ai peur d'être obligée de dire à maman que j'ai perdu son cadeau.

Fabien : Ne t'en fais pas Émilie. Le sac sera sûrement là où tu l'as laissé. Peut-être même que quelqu'un l'a déjà retrouvé. On peut téléphoner au café si tu veux.

Émilie :	Ah mais qu'est-ce que je peux être bête. Je bavardais tant avec Colette que je n'ai même pas fait attention. Elle avait plein de choses à me raconter sur le mariage de son frère aîné et voilà, on est resté deux heures ensemble.
Fabien :	Écoute ! Téléphone toujours, on ne sait jamais et après … on verra !

Section IV

 Track 14

Il y a sept ans Valérie Guénot a gagné un gros lot de neuf millions d'euros.
Valérie Guénot : « C'était un vingt-quatre décembre pour le réveillon, j'étais allée en boîte de nuit. Quand je suis rentrée à la maison à cinq heures du matin personne n'était couché dans ma famille. Mes parents m'ont annoncé la nouvelle. Je ne voulais pas y croire.

Ma première dépense ? J'ai fait un don à une association pour les sans-abris. Plus tard, j'ai signé un énorme chèque à mon père ex-fonctionnaire. Il me l'a redonné en disant qu'il n'en avait pas besoin, qu'il avait déjà sa retraite mais j'ai insisté.

Je ne suis pas trop dépensière. Je voyage plus souvent en deuxième qu'en première classe. Je préfère les hôtels trois étoiles et je ne prends pas de vacances exotiques tous les ans. Bien sûr, j'ai une belle maison, mais la piscine n'est pas chauffée.

J'ai investi la plupart de ma fortune mais je me suis aussi achetée un magasin de musique. Comme tout le monde, je pense que la crise financière actuelle est très sérieuse mais j'espère que la situation s'améliorera bientôt. Je continue à jouer au loto. Qui sait ? Je gagnerai peut-être encore une nouvelle fois. »

Section V

 Track 15

Le grand supermarché *Carrefour* a offert quatre cents cartables remplis de matériel scolaire aux enfants des familles touchées par la tornade récente. Ces cartables ont été distribués par les mairies.

 Track 16

Après des négociations qui ont duré plusieurs heures, les pirates de l'air qui avaient détourné un avion se sont rendus aux autorités hier après-midi. Les passagers s'en sont finalement sortis sains et saufs.

 Track 17

La police de Lille mène une campagne de prévention auprès des conducteurs qui refusent d'utiliser leurs clignotants. Dès le premier avril, il en coûtera vingt-cinq euros d'amende et un retrait de trois points sur le permis de conduire.

2008 Solutions

Listening Comprehension (100 marks – 20 segments x 5 marks each).

Note: Candidates are not required to give the exact wording of the solutions proposed in this marking scheme. If the correct sense is given, they can obtain full marks for their answer. If both a correct and incorrect answer are given – award 0 marks.

Section I (20 marks – 4 x 5) (p. 112)

 *Track 18*

1. (i) (c) a shop assistant.
   (ii) 16 (years).
   16 ans. (3 marks)
2. (ii) weren't interested in her career.
3. (iv) she goes home every evening.

Section II (20 marks – 4 x 5) (p. 112)

 Track 19

1. (ii) being always on the move.
2. Melon(s)/strawberrie(s) (accept one correct fruit, ignore extraneous).
3. (iii) the road signs.
4. Greece.

Section III (20 marks – 4 x 5) (p. 113)

 Track 20

1. (iii) Mathilde's brother had gone there.
2. Either of:
   Horse riding/pony trekking.
   Walks/strolls in the forests/woods.
   * Walks/strolls/hiking. (3 marks if forests/woods not mentioned)
3. (iii) Mathilde complained all the time.
4. Any **one** of:
   Texted her (several times).
   Sent SMS (several times).
   Sent a text/message.
   * SMS. (3 marks if several times isn't mentioned)

Section IV (20 marks – 4 x 5) (p. 113)

 Track 21

1. Either of: empty the (shopping) trolley; put her shopping into the/her car.
2. (i) (b) 1998.
   (ii) (a) he never saw his neighbours.
3. (iii) shops were closed on Sundays.

Section V (20 marks – 4 x 5) (p. 114)

 Tracks 22/23/24

1. (ii) 120,000.
2. (i) Barber's/hairdresser's/salon.
      * Beauty salon. (0 marks)
   (ii) (c) took refuge in a back room.
3. (iv) In tents.

2008 CD Script

Section I

 *Track 18*

Interviewer :	Sophie Marceau, quelle a été votre enfance ?
Sophie Marceau :	J'ai toujours été très libre. À sept ans, j'étais seule à la maison. Ma mère, qui était vendeuse, partait tôt et rentrait tard. Moi, je m'occupais du ménage. J'étais très indépendante, donc, à seize ans, je me suis installée seule dans un appartement.
Interviewer :	Vos parents intervenaient-ils dans votre carrière ?
Sophie Marceau :	Mes parents ne sont jamais intervenus dans mes choix. Parfois, j'avais l'impression que ma carrière ne les intéressait pas, et j'en souffrais. Quand je rentrais du tournage d'un film, ils parlaient de tout sauf de ma journée de travail.
Interviewer :	Vous avez deux enfants ?
Sophie Marceau :	Oui, mes enfants passent avant tout. Je rentre tous les soirs à la maison. Je ne pars jamais longtemps loin d'eux et on passe nos week-ends ensemble. J'ai une vie extrêmement normale.

Section II

Track 19

Interviewer :	Pourquoi êtes-vous devenu routier, Philippe ?
Philippe :	C'était mon rêve d'enfant. La solitude, le fait d'être responsable de son itinéraire, tout cela m'intéresse dans ce métier, et il y a aussi le fait de bouger tout le temps, qui me plaît énormément.
Interviewer :	Que transportez-vous le plus souvent ?
Philippe :	Je m'occupe surtout de fruits et de légumes. C'est très agréable d'ouvrir les portes de mon camion quand il est chargé de melons ou de fraises, mais l'inconvénient, c'est que je dois très souvent travailler de nuit pour apporter les marchandises très tôt le matin sur les marchés.
Interviewer :	Avez-vous remarqué des changements en Europe depuis que vous travaillez ?
Philippe :	Aujourd'hui, on passe d'un pays à un autre sans s'en rendre compte. Lorsqu'on arrive en Belgique, par exemple, un des seuls éléments qui nous prouve qu'on a changé de pays ce sont les panneaux de signalisation.
Interviewer :	Avez-vous le temps de vous arrêter pour visiter les villes ?
Philippe :	Rarement, parce que c'est compliqué d'abandonner son véhicule dans des lieux qu'on ne connaît pas. Un jour, à Athènes, en Grèce, j'ai laissé mon camion dans une zone industrielle et je suis parti visiter la ville. Dans le taxi au retour, je me suis rendu compte que j'avais oublié où j'avais stationné mon camion. On a tourné pendant des heures pour le retrouver.

Section III

 Track 20

Ami :	Alors, Karine, te voilà de retour. Tu es restée trois semaines en Irlande, n'est-ce pas ?
Karine :	Oui, je suis partie avec mon amie Mathilde. Tu la connais, je pense. Son frère a fait un séjour linguistique là-bas, l'année dernière, et donc nous avons décidé d'y aller cet été.
Ami :	Tout s'est bien passé cet été, j'espère ?
Karine :	Non, on a eu beaucoup de problèmes. Le mauvais temps d'abord, il pleuvait presque tous les jours. On avait prévu des randonnées à cheval et des balades dans les forêts, mais c'était impossible.
Ami :	Ma pauvre Karine. C'était tout ?
Karine :	Non, Mathilde et moi, nous nous sommes disputées et on s'est séparées après une semaine. Du coup, j'ai continué mes vacances toute seule après.
Ami :	Pourquoi ?
Karine :	J'en avais marre. Mathilde se plaignait tout le temps. Rien ne lui plaisait. Chaque fois que je lui ai proposé une activité, elle n'était jamais d'accord.
Ami :	Et Mathilde, qu'a-t-elle fait ensuite ?
Karine :	Je ne sais pas. Depuis mon retour je lui ai envoyé plusieurs SMS, mais elle ne m'a même pas répondu. Le problème, c'est que c'est moi qui ai payé le logement, à l'avance, et Mathilde avait promis de me rembourser plus tard, mais jusqu'à maintenant pas un sou.
Ami :	Je ne l'aurais jamais cru.

Section IV

 Track 21

Rambo :	Quand je suis arrivé en France, beaucoup de choses m'ont étonné. Aux îles Samoa nous devons respecter notre famille et aussi toutes les autres personnes. Ici, ce n'est pas pareil. Dernièrement, j'ai vu au supermarché une vieille dame qui peinait à vider son chariot dans sa voiture et son petit-fils, à côté d'elle, l'a regardé faire sans l'aider. J'ai trouvé ça choquant.
Konrad :	Je connaissais la France grâce à des documentaires diffusés à la télévision en Afrique du Sud. Quand je suis arrivé à Paris en 1998, j'ai réussi à trouver un bel appartement dans le 15e arrondissement. Mais c'était difficile parce que je ne voyais jamais mes voisins, et je me sentais anonyme. Ça a duré presque un an.
Kyril :	J'ai quitté Moscou pour m'installer dans une petite ville, près de Toulouse. Ce qui m'a vraiment étonné en arrivant, c'est la fermeture des magasins le dimanche en France, tandis qu'en Russie on travaille tous les jours. Une autre différence que j'ai remarquée, c'est qu'en Russie nous avons aussi des grèves, mais elles sont moins fréquentes qu'en France. Vos syndicats ici sont plus puissants.

Track 22

Section V

Pour son retour à la chanson avec « Divinidylle », Vanessa Paradis a vendu 120,000 albums en trois semaines. La chanteuse a été classée numéro un des ventes dès la sortie du disque.

Track 23

Grosse frayeur dans un salon de coiffure samedi, quand un sanglier y est entré. Les clientes affolées se sont vite réfugiées dans une pièce en retrait. Le sanglier a finalement été endormi par un vétérinaire.

Track 24

Évacuation de mal-logés à Paris. Les forces de l'ordre sont intervenues entre six et sept heures du matin pour faire partir les centaines de tentes installées sur le trottoir rue de la Banque.

2007 Solutions

Listening Comprehension (100 marks – 20 segments x 5 marks each).

Note: Candidates are not required to give the exact wording of the solutions proposed in this marking scheme. If the correct sense is given, they can obtain full marks for their answer. If both a correct and incorrect answer are given – award 0 marks.

Section I (20 marks – 4 x 5) (p. 114)

Track 25

1. (i) (b) an apartment.
    (ii) 13 euros.
        * Treize euros. (3 marks)
        * 13. (0 marks)
2. (iii) Petrol.
3. (i) puts money in her bank account.

Section II (20 marks – 4 x 5) (p. 115)

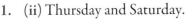

Track 26

1. (iv) meet other people.
2. Pupils/students (from a secondary/agricultural school in Lyon).
3. (ii) six months.
4. (iii) Their driving licence would be paid for.

Section III (20 marks – 4 x 5) (p. 116)

Track 27

1. (ii) Thursday and Saturday.
2. He broke his leg.
    * Any mention of leg. (3 marks)
3. (i) (a) He slammed the door.
    (ii) Any **one** of:
        He was wrong.
        He was unreasonable.

He was impolite.
He should have thought/reflected (beforehand).
He should not have lost his head/got angry.
He should have tried to find a compromise.
Note: Gender must be correct.

Section IV (20 marks – 4 x 5) (p. 116)

Track 28

1. Any **one** of:
   No lights
   Freezer stopped/gave up.
   Lift in apartment block not working.
   * No electricity. (3 marks)
   * Machines didn't work. (3 marks)
2. (iii) market traders.
3. (iv) he had ice to preserve the fish.
4. (i) The mayor.

Section V (20 marks – 4 x 5) (p. 117)

Tracks 29/30/31

1. (i) 64 million euros.
2. (i) (c) Customs officials.
   (ii) Austria.
3. (ii) overcast.

2007 CD Script

Section I

Track 25

Florence : Comme nous logeons dans un petit appartement, nous ne payons que 700 euros pour les vacances. Mais tout est cher autour ! Dimanche, nous avons payé 13 euros pour deux cafés et les deux jus d'orange des enfants. Nous ne sommes pas encore allés au restaurant, mais on n'ira qu'une fois.

Jean-Luc : On a loué pour une semaine un emplacement de camping pour mobil home. Cela nous coûte 400 euros. On a aussi fixé un budget de vacances, mais il est impossible de ne pas le dépasser ! Surtout qu'il faut ajouter le prix des repas et celui de l'essence qui sont vraiment très chers.

Sofie : Je suis en vacances à Narbonne et je trouve que la vie est très chère ici, mais j'ai la chance d'avoir un père qui met de l'argent sur mon compte en banque régulièrement. Par contre, il m'appelle très souvent pour me demander d'arrêter de dépenser son argent !

Section II

 Track 26

Interviewer :	Le service civil, c'est une nouvelle aventure citoyenne ?
Dr Kouchner :	Oui. Tout le monde, ou presque, semble d'accord sur le principe du service civil. Idéalement, tous les jeunes devraient y participer. C'est l'occasion de sortir de chez soi, d'apprendre la solidarité et d'aller à la rencontre des autres.

Interviewer :	Et où ce service civil pourrait-il se passer ?
Dr Kouchner :	Cela peut se passer à côté de chez soi, dans la campagne française ou dans le tiers-monde. Je me souviens d'une expérience avec des élèves d'un lycée agricole à Lyon qui se sont rendus en Égypte, dans la vallée du Nil. Ça s'est passé merveilleusement ! Ils sont revenus totalement transformés.

Interviewer :	La durée du service, c'est un autre sujet à controverse ?
Dr Kouchner :	N'exagérons pas ! Être citoyen de son pays pendant six mois de sa vie, ce n'est pas demander la lune ! On peut s'adapter. Et pour ne pas poser des problèmes aux étudiants, on pourrait même fractionner le service en épisodes de deux ou trois mois qu'on pourrait effectuer durant les vacances.

Interviewer :	Comment pourrait-on récompenser ces jeunes ?
Dr Kouchner :	On peut envisager de payer aux jeunes leur permis de conduire, de leur offrir des stages préférentiels chez les pompiers ou les nageurs sauveteurs ou de leur donner un peu d'argent pour entrer dans la vie active. Ils doivent pouvoir en tirer un bénéfice.

Section III

Track 27

Brigitte :	Didier, tu as l'air furieux. Qu'est-ce qui s'est passé ?
Didier :	Ça y est, c'est fini ! Je ne travaille plus à la station service ! Je viens de démissionner.
Brigitte :	Mais pourquoi ? Je croyais que cet emploi te convenait bien.
Didier :	Oui, mais jusqu'à maintenant, je travaillais seulement le jeudi et le samedi. Voilà que le patron, Monsieur Chartier, insiste pour que je travaille le vendredi soir aussi.
Brigitte :	Mais tu gagneras plus d'argent comme ça. Pourquoi est-ce que c'est un problème ?
Didier :	Tu as oublié que je m'entraîne avec l'équipe de foot le vendredi soir. Je ne veux absolument pas manquer ça. La finale du championnat aura lieu dans quinze jours, tu sais. En plus, je suis le seul gardien de but depuis que le pauvre Philippe s'est cassé la jambe la semaine dernière.
Brigitte :	Mais ... tu as expliqué tout ça à Monsieur Chartier ?

Didier :	À vrai dire, j'ai dit « non » tout de suite, sans hésiter. Et j'étais si furieux que je suis même sorti en claquant la porte.
Brigitte :	Oh, Didier, tu as eu tort ! Ce n'est pas raisonnable. Tu aurais dû réfléchir un peu avant au lieu de perdre la tête comme ça, et essayer de trouver un compromis. Tu n'as pas été très poli non plus.
Didier :	Oh, laisse-moi tranquille Brigitte ! J'en ai marre de tout !

Section IV

 Track 28

À Rouen, dimanche matin, à la suite d'un incendie, trois mille foyers ont été privés d'électricité. Un témoin de l'incident, Daniel Garnier, raconte son expérience :

« J'ai entendu un boum et ensuite j'ai vu les pompiers arriver. Une demi-heure après, il n'y avait plus de lumière, mon congélateur s'est arrêté et l'ascenseur de mon immeuble ne fonctionnait plus ! »

Les principales victimes de la coupure de courant ont été les commerçants du marché qui sont restés sans électricité jusqu'à 10h00 du soir. Jean-Paul Boulmé, marchand de fruits, n'était pas très content :

« Nous ne pouvions pas peser la marchandise avec nos balances électriques et nous avons perdu deux heures de vente ! »

Mais Sébastien Mouchon, qui tient une poissonnerie, n'a pas eu trop de problèmes :

« J'ai eu de la chance car, moi, j'ai de la glace pour conserver le poisson. Nous avons aussi les camions frigo, à proximité, pour garder les produits au frais. »

Vers 11h00, le Maire de la ville s'est rendu sur les lieux du sinistre avant d'aller expliquer la situation aux commerçants. Les électriciens étaient encore sur place l'après-midi pour réparer les dégâts.

Section V

 Track 29

Un joueur français a gagné vendredi soir 64 millions d'euros lors du tirage de l'Euro millions. Il a préféré rester anonyme.

 Track 30

Hier matin, à la frontière, les douaniers français ont saisi dix-huit kilos de cocaïne lors d'un contrôle sur un camion. Les chauffeurs du véhicule, immatriculé en Autriche, ont déclaré ignorer la presence des stupéfiants.

Track 31

Demain, dans le Nord du pays, le ciel sera couvert avec des risques d'averses l'après-midi. Les températures ne dépasseront pas 12 degrés.

2006 Solutions

Listening Comprehension (100 marks – 20 segments x 5 marks each).

Note: Candidates are not required to give the exact wording of the solutions proposed in this marking scheme. If the correct sense is given, they can obtain full marks for their answer. Ignore extraneous material except where one single answer is required, e.g. section II (1); section III (1); section V (1) (ii).

Section I (20 marks – 4 x 5) (p. 117)

Track 32

1. (i) (c) bottom of the class.
    (ii) Any **one** of:
        Left school.
        Attended drama classes.
        Theatre classes.
        * Theatre/drama/acting. (3 marks)
        * Went to theatre. (0 marks)
2. (ii) Morocco.
3. Family and friends.
    * Family/friends. (3 marks)
    * Friend. (2 marks)
    * Famille/ami(s). (1 mark)

Section II (20 marks – 4 x 5) (p. 118)

Track 33

1. 25.
2. (iii) Portuguese.
3. (iv) fish.
4. (iii) Their language may be taught in school.

Section III (20 marks – 4 x 5) (p. 118)

Track 34

1. A (new) (mobile)/phone.
    Note: Mobile and/or something else. (0 marks)
2. (iii) a weekend away.
3. (i) (a) on the web.
    (ii) At the end of the month.

Section IV (20 marks – 4 x 5) (p. 119)

Track 35

1. (i) 20 years behind men.
2. (ii) they will be spending time with other men.
3. (iv) full of surprises.
4. (iii) Help people.

Section V (20 marks – 4 x 5) (p. 119)

Tracks 36/37/38

1. (i) (d) handball.
    (ii) Spain.
        Note: one single country required.

2. (ii) hit by lightning.
3. (iii) On Monday evening.

2006 CD Script

Section I

 Track 32

Interviewer :	Jamel, comment as-tu débuté ta carrière ?
Jamel :	Je dois ma réussite professionnelle à mes échecs scolaires. Souvent bon dernier de la classe, je faisais des bêtises pour amuser les autres. J'ai quitté l'école à l'âge de 14 ans pour suivre des cours de théâtre.
Interviewer :	Tu as dis que tu es un grand stressé.
Jamel :	Oui, la peur que ma carrière s'arrête me hante. Mes parents ont quitté le Maroc pour la banlieue parisienne et on avait très peu d'argent. Aujourd'hui, je roule en Ferrari, mais j'ai peur de tout perdre.
Interviewer :	Dans quel milieu te sens-tu le plus à l'aise ?
Jamel :	Je peux m'adapter à n'importe quel milieu. Je travaille dans les clubs les plus célèbres de Paris, ce qui ne m'empêche pas de rentrer tous les soirs dans ma banlieue. Pour garder les pieds sur terre, j'ai besoin d'être entouré de mes copains du quartier et de ma famille.

Section II

Track 33

Le français va-t-il devenir, un jour, une langue morte ? La question n'est pas ridicule. Tous les ans, vingt-cinq langues disparaissent. À ce rythme, la moitié des 6 000 langues parlées actuellement aura disparu avant la fin du siècle.

Le principe est toujours identique. Un groupe dominant impose sa langue aux autres, soit par la force, comme l'anglais, l'espagnol, ou le portugais, soit par le pouvoir d'attraction d'une langue plus dynamique. Dans ce dernier cas, les gens abandonnent volontairement leur langue.

Avec une langue ce n'est pas seulement un outil de communication qui disparaît, c'est toute une culture et une représentation du monde qui sont perdues à jamais. Par exemple, certains peuples du Pacifique savent nommer des centaines de poissons.

Chaque langue est intimement liée à l'identité du peuple qui la parle. C'est le cas du corse, du breton, du basque en France. Après des années de combat, on a le droit maintenant de les enseigner dans les écoles et les lycées même s'ils ne concernent qu'un petit nombre d'élèves.

Section III

 Track 34

Hélène : Bertrand, c'est le cinquantième anniversaire de Papa dans deux semaines. On se cotise, comme d'habitude ?

Bertrand : Je l'avais complètement oublié. Enfin ça tombe mal, je suis fauché en ce moment car je viens de payer mon abonnement au gymnase.

Hélène : Quand même, il faut que nous lui offrions quelque chose de vraiment spécial.

Bertrand : Je sais, un nouveau portable. Celui qu'il a est vraiment démodé et maintenant ils sont très bon marché.

Hélène : Mais Papa en a déjà un, et tu sais bien qu'il se fiche absolument de la technologie, il veut seulement que ça marche.

Bertrand : Mais moi, j'aimerais bien.

Hélène : Écoute, je te conseille de réfléchir à ce dont Papa aurait envie et pas à ce qui t'intéresse. Moi, je pensais plutôt lui offrir un week-end de détente dans un bel hôtel. Tu sais qu'il travaille comme un forcené au boulot en ce moment.

Bertrand : Tu en as parlé à Maman, qu'est-ce qu'elle en pense ?

Hélène : Que c'est une très bonne idée ! Elle est convaincue que Papa rentrera de là avec le moral remonté. Et j'ai même trouvé une offre spéciale sur le web qui ne coûtera que 160 euros.

Bertrand : D'accord. Ça peut aller, faut que je m'arrange pour l'argent, je n'ai vraiment pas un sou en ce moment, tu pourrais m'en prêter peut-être. Je te rembourserais à la fin du mois.

Section IV

Track 35

Interviewer : Nathalie, les femmes sont toujours peu nombreuses en politique. Pourquoi ?

Nathalie : Les femmes font trop peu de politique et surtout trop tard. Dans ces conditions elles ne pourront jamais aller aussi loin que les hommes. Tout simplement parce qu'elles ont 20 ans de retard sur eux. Les femmes ne doivent plus accepter d'attendre d'avoir élevé leurs enfants pour se lancer.

Interviewer : Pourquoi est-ce plus difficile pour une femme de s'engager dans la politique ?

Nathalie : Elles pensent que ce n'est pas un monde pour elles. Trop de dureté, de sacrifices, de temps perdu et j'ajoute qu'il faut aussi la chance d'avoir un mari qui accepte une femme qui fait de la politique. Une femme qui ne soit jamais là, et qui passe son temps avec d'autres hommes.

Interviewer : Décrivez le monde politique.

Nathalie : C'est un monde dominé par l'égoïsme et l'orgueil. Mais aussi un monde rempli de surprises et de découvertes. Quand on a le virus de la politique on ne peut pas être heureux sans en faire.

Interviewer : Il faut être une tueuse pour arriver au sommet ?

Nathalie : Franchement, je ne crois pas et je ne me sens pas l'âme d'une tueuse. Au contraire, j'aime aider les gens. D'ailleurs, je le dis à toutes les femmes, « Venez faire de la politique, je vous aiderai. »

Section V

Track 36

À Zurich, hier, la France est devenue championne d'Europe de handball pour la première fois de son histoire. Après leur victoire en demi-finale face à la Croatie, championne Olympique, les Français ont battu en finale l'Espagne 31 à 23.

Track 37

Un adolescent de 14 ans est entre la vie et la mort après avoir été frappé par la foudre, samedi, alors qu'il s'abritait sous un arbre près de Deauville.

Track 38

Deux jeunes ont été interpellés par la police lundi soir alors qu'ils tentaient de prendre de l'argent dans un distributeur avec une carte volée. Ils comparaîtront devant le tribunal demain.

2005 Solutions

Listening Comprehension (100 marks – 20 segments x 5 marks each).

Note: Candidates are not required to give the exact wording of the solutions proposed in this marking scheme. If the correct sense is given, they can obtain full marks for their answer. Ignore extraneous material.

Section I (20 marks – 4 x 5) (p. 120)

Track 39

1. (ii) as a cook. (5 marks)
2. (i) 11 years old. (5 marks)
        * Onze (ans). (3 marks)
    (ii) One of: sailing; hunting. (5 marks)
        * Getting away/going to sea/mountain. (3 marks)
        * Any other mention of sea/mountain. (1 mark)
3. (iii) shy. (5 marks)

Section II (20 marks – 4 x 5) (p. 120)

Track 40

1. Either of:
    Never to be satisfied. (5 marks)
    Always trying to make progress/do better. (5 marks)
2. (ii) look everywhere for him. (5 marks)
3. (iv) Italian. (5 marks)
4. (ii) to be more tolerant. (5 marks)

Section III (20 marks – 4 x 5) (p. 121)

Tracks 41/42/43

1. (i) exciting. (5 marks)
2. (i) the day she went to school for the first time.
   (ii) (b) told him nothing about the day. (5 marks)
3. (iv) she rode a bicycle on her own. (5 marks)

Section IV (20 marks – 4 x 5) (p. 121)

Track 44

1. (iii) had an argument with her mother. (5 marks)
2. (iv) by train. (5 marks)
3. Mother drove him (in the car). (5 marks)
   * (In) (a) car. (3 marks)
4. (iii) selfish. (5 marks)

Section V (20 marks – 4 x 5) (p. 122)

Tracks 45/46/47

1. (i) 150. (5 marks)
   (ii) (c) were taken off the train. (5 marks)
2. (i) bottles of water. (5 marks)
3. (iv) sweets. (5 marks)

2005 CD Script

Section I

Track 39

Interviewer : Julien, que faisais-tu avant de participer à l'émission ?

Julien : Je faisais des sessions studio pendant lesquelles je chantais sur des productions pour d'autres chanteurs. Mais, pour gagner un peu d'argent supplémentaire, j'ai fait plein de petits boulots comme cuisinier, serveur, pompiste.

Interviewer : Quel est ton univers musical, et as-tu d'autres passions ?

Julien : J'ai commencé par étudier le piano, mais je me suis aussitôt découvert une forte envie de chanter. J'ai fait mon premier concert à l'âge de onze ans, à Genève. Petit à petit, j'ai commencé à chanter avec des orchestres, avant de me lancer en solo à vingt-cinq ans. À part la musique, j'adore m'évader à la mer ou à la montagne, faire de la voile ou de la chasse.

Interviewer : Quels sont les trois adjectifs qui te qualifient le mieux ?

Julien : Je dirais généreux, spontané et timide. Et j'ai aussi une voix qui se prête à beaucoup de choses.

Section II

Track 40

Interviewer : Thierry Henry, quelle est ta devise ?

Thierry Henry : Dans la vie, le respect. Quand je vois quelqu'un qui ne tient pas la porte à une autre personne, ça me fâche. Dans le foot, n'être jamais satisfait. Même si, dans un match, je mettais quatre buts, mon père disait: « Tiens, à la soixante-dixième minute, t'as raté un centre. » Ça m'a toujours poussé à progresser.

Interviewer : Tu es originaire de la banlieue. Quels conseils donnerais-tu à un jeune de banlieue qui veut réussir dans le foot ?

Thierry Henry : Moi, j'ai eu la chance d'avoir des parents qui m'ont toujours soutenu et suivi. Si jamais je rentrais cinq minutes en retard de l'école, mon père me cherchait partout. Mais même sans ça, je conseillerais aux jeunes qui veulent réussir de travailler et d'en avoir vraiment envie.

Interviewer : Quels endroits fréquentes-tu à Londres ?

Thierry Henry : Les petits restaurants italiens, français ou japonais. On mange super bien à Londres. Si tu me proposes de manger vite et d'aller en boîte ensuite, ou de passer quatre heures dans un restaurant avec des copains à rigoler, je choisis la deuxième option.

Interviewer : Ta femme est-elle ta première supportrice ?

Thierry Henry : Oui, elle m'apporte la sagesse, un équilibre supplémentaire, elle m'apprend à être plus tolérant avec les gens. Elle m'a ouvert les yeux sur pas mal de choses.

Section III

 *Track 41*

Xavier : Pour moi c'était la naissance de notre premier enfant. Je ne saurais exprimer l'intensité de l'amour que j'ai ressenti à ce moment-là. Pour moi, mon bébé était l'être le plus fragile au monde, et je n'avais qu'une envie : le prendre dans mes bras pour toute ma vie. La relation avec mon fils, une fois rentré à la maison, a tout de suite été passionnante. J'ai toujours été agacé par les parents qui voient leur bébé comme un inconvénient, comme une chose dont on doit s'occuper. À mon avis, élever son enfant, c'est plutôt un rôle très enrichissant.

Track 42

Franck : Je n'oublierai jamais le jour où ma fille est allée à l'école pour la première fois. Il faut comprendre que moi, j'ai toujours détesté l'école. Et voilà que tout d'un coup, je lui racontais que c'était absolument génial ! Je lui ai expliqué qu'elle allait apprendre des tas de choses passionnantes. Mais, en fait, j'avais l'impression de l'abandonner dans la jungle. Le soir, quand elle est rentrée, elle avait l'air contente, mais elle n'a rien voulu raconter de sa journée. C'était terriblement frustrant !

Track 43

Robert : Le moment le plus mémorable dans ma vie de papa, c'était le jour où j'ai appris que j'allais être grand-père pour la première fois. J'ai ressenti une multitude d'émotions. Tout d'abord, je me suis dit que ma fille était devenue grande ! Mais ce n'était pas la première fois que je me faisais cette réflexion. J'avais déjà pensé la même chose lorsqu'elle avait dit ses premiers mots, fait ses premiers pas, ou réussi à tenir sur un vélo toute seule pour la première fois.

Section IV

Track 44

Marie-France : Allô ? Antoine ?

Anotine : Salut Marie-France ! Ça va ?

- Oh, tu sais, …
- Qu'est-ce qui se passe ?
- Je me suis disputée avec Maman ce matin.
- Ah bon ? À quel sujet ?
- Tu sais que j'ai une place à l'université de Montpellier pour septembre ?
- Oui, oui, je sais.
- Bien, je pensais partir seule en train la semaine prochaine. Comme ça j'aurais largement le temps de m'installer dans ma chambre, de découvir un peu la ville. Mais Maman insiste pour m'accompagner en voiture.
- Mais je ne vois pas le problème. C'est pas plus facile en voiture ?
- C'est pas ça. C'est que c'est le début de ma vie adulte et je ne veux pas que ma mère m'accompagne comme un enfant. Tu comprends mon problème ?
- J'allais te demander de parler à Maman – comme tu es l'aîné de la famille je sais qu'elle respecte ton opinion.
- Écoute, quand moi je suis parti à la fac, j'étais ravi quand Maman a proposé de m'y amener en voiture avec tous mes bagages.
- Ne sois pas comme ça, je croyais que tu comprendrais. C'est pénible d'arriver à la fac avec sa mère, tu trouves pas ?
- Mais pas du tout ! Il y a toujours beaucoup d'autres parents la première semaine. Et en plus, si tu veux mon avis, je te trouve un peu égoïste – as-tu pensé que ça ne va pas être facile pour Maman ? Tu vas lui manquer. Tu es la cadette de la famille. Après ton départ il n'y aura plus d'enfants à la maison. Nous serons tous partis. Écoute, laisse-la te conduire à Montpellier. Quand elle sera partie, tu auras toute l'indépendance que tu voudras !
- C'est vrai que je n'avais pas pensé à tout ça. Tu as raison, comme toujours.
- Eh bien, bonne route et bonne chance pour ta nouvelle vie.

Section V

Track 45

Grosse frayeur pour les 150 voyageurs du Paris–Cherbourg, jeudi soir. Alors que le train est entré en gare de Lisieux, vers vingt heures, les techniciens de la SNCF ont remarqué qu'une fumée suspecte sortait des équipements électriques de la locomotive. Le train a aussitôt été immobilisé, et tous les voyageurs ont été evacués.

Track 46

Les Français sont les deuxièmes plus grands buveurs d'eau en bouteilles du monde (derrière les Italiens) avec 141 litres par an et par habitant.

 Track 47

Privés de pause-bonbons. Collégiens et lycéens peuvent dire adieu au distributeur automatique de la cour d'école. Les députés ont voté jeudi l'interdiction des distributeurs de confiseries et de sodas présents dans 40 per cent des établissements scolaires.

5. Grammar *(La grammaire)*

Gender (p. 125)

1. le
2. la
3. le

4. la
5. le

Plurals (p. 125)

1. les journaux
2. les yeux
3. les nez

4. les morceaux
5. les hommes

Articles (p. 127)

1. le
2. une
3. l'
4. es
5. les

6. un
7. le
8. des
9. l'
10. un

Prepositions / Partitive Article (p. 128)

1. Elle habite Wexford.
2. Nous allons aux magasins.
3. Elle parle au prof.
4. Le livre de David.
5. Le chien de l'homme.

6. Il mange de la viande.
7. Je n'ai pas d'amis.
8. Il vient de Cork.
9. Le livre est sous la table.
10. Il parle à Paul.

Adjectives (p. 130)

1. Une belle fille.
2. La maison rouge.
3. Un petit chien.

4. Une fille sportive.
5. Un nouveau pull.

Interrogative Possessive/Demonstrative Adjectives (p. 132)

1. Leur père.
2. Nos amis.
3. Sa sœur.
4. Quels livres ?
5. Quelles filles ?
6. Quel garçon ?
7. Ce garçon.
8. Cet homme.
9. Cette maison.
10. Ces livres.

Adverbs (p. 133)

1. Doucement.
2. Le mieux.
3. Bien.
4. Mal.
5. Énormement.

Present Tense Verbs (p. 137)

1. Nous allons.
2. Ils voient.
3. Il a.
4. Je suis.
5. Tu veux.
6. Vous faites.
7. Je me lave.
8. Nous jouons.
9. Elle habite.
10. Il finit.

Future Tense Verbs (p. 139)

1. J'irai.
2. Il aura.
3. Nous vendrons.
4. Elle sera.
5. Nous ferons.
6. Je pourrai.
7. Ils vont avoir.
8. Je jouerai.
9. Il va voir.
10. J'achèterai.

'Passé Composé' with 'Avoir' (p. 140)

1. Elle a mangé.
2. Ils ont fait.
3. Nous avons eu.
4. Ils ont voulu.
5. J'ai joué.
6. Il a fini.
7. Nous avons donné.
8. Elle a vu.
9. Vous avez lu.
10. Il a dit.

'Passé Composé' with 'Être' (p. 141)

1. Elle est allée.
2. Je suis né(e).
3. Nous sommes arrivé(e)s.
4. Les filles sont entrées.
5. Les garçons sont partis.
6. Il est mort.
7. Il s'est lavé.
8. Nous sommes sorti(e)s.
9. Elle est tombée.
10. Il est resté.

Verbs in the Imperfect/'Passé Composé' (p. 143)

1. Je jouais.
2. Il vendait.
6. Nous sommes allé(e)s.
7. Je mangeais.

3. Elle a vu.
4. J'habitais.
5. Elle est arrivée.

8. Ils avaient.
9. Ils ont acheté.
10. Elle allait.

Conditional Tense Verbs (p. 144)

1. J'achèterais.
2. Nous irions.
3. Ils vendraient.
4. Elle aurait.
5. Il verrait.

6. Ils viendraient.
7. Je ferais.
8. Nous mangerions.
9. Vous aimeriez.
10. Tu serais.

Negatives/Questions/Imperatives (p. 147)

1. Je ne dors jamais.
2. Je ne suis pas allé(e).
3. Il n'a plus de bonbons
4. Je n'ai ni crayons ni stylos.
5. Vous faites du sport ?

6. Combien de livres ?
7. Quand est-ce que vous sortez ?
8. Allons à la plage.
9. Paul, lis le livre.
10. De quelle couleur est la voiture ?

Pronouns (p. 150)

1. Il la lit.
2. Elle lui donne le livre.
3. Elle en mange.
4. Ils en viennent.
5. J'y vais.

6. Nous les verrons en ville.
7. Je la vois.
8. Ma mère y est.
9. Elle lui donne son cahier.
10. Tu l'aimes.

Relative Pronouns (p. 151)

1. Le garçon qui lit est irlandais.
2. Il a un chien qui est brun.
3. La fille dont je parle est grande.
4. Votre voiture est verte, la mienne est rouge.
5. Ma sœur est grande, la sienne est petite.

6. Notre père est prof, le vôtre est médecin.
7. Elle est plus grande que toi.
8. Vous, vous aimez la natation./Toi, tu aimes la natation.
9. Il vient avec nous.
10. Il travaille avec moi.